UN PLEBISCITO A FIDEL CASTRO

Reinaldo Arenas
Jorge Camacho

UN PLEBISCITO A FIDEL CASTRO

editorial BETANIA
Colección DOCUMENTOS

Colección Documentos

Editorial BETANIA.
Apartado de Correos 50.767
Madrid 28080, España.

I.S.B.N.: 84-86662-68-0.
Depósito legal: M-31365-1990.

Imprime: Artes Gráficas Iris, S. A.
Lérida, 41.
Madrid 28020, España.

Impreso en España - printed in Spain.

COMENTARIO

Nuestra idea de enviarle a Fidel Castro una carta abierta solicitándole un plebiscito surgió en octubre de 1988. En aquel momento nos encontramos Jorge Camacho y yo (Reinaldo Arenas) en una aislada casa de campo en la finca Los Pajares, en Andalucía. Redacta la carta, me sugirió Jorge. Al instante, a la luz de unos débiles faroles (pues donde estábamos no había luz eléctrica) comenzamos la redacción de la carta con el estímulo de la esposa de Jorge, Margarita Camacho.

El hecho de escribir la carta nos causaba una enorme alegría y a veces no podíamos contener las carcajadas. Pensábamos en la cara que pondría Fidel Castro cuando leyese la carta. Indudablemente constituía una irreverencia descomunal pedirle a quien se considera una deidad entronizada en el poder la celebración de un plebiscito. A nadie en treinta años se le había ocurrido formularle tal petición. Conociendo al personaje, comentamos que la cólera que aquel texto iba a desatar sería terrible. En efecto, no nos equivocamos. Al contrario, fuimos demasiados parcos al calibrar la explosión del "Máximo Líder" y la repercusión de la carta.

Terminado el texto, que desde un principio dicidimos que tenía que ser contundente y breve, lo primero que hicimos Jorge y yo fue firmarlo. Al menos, dijimos, ya tenemos dos firmas y decidimos que si no conseguíamos ninguna otra, le enviaríamos la carta a Castro y la publicaríamos de cualquier manera, aunque fuese con nuestras dos modestas firmas.

Hicimos copias de la carta y se la enviamos a algunas personas de prestigio intelectual o políticos pidiéndoles opiniones y desde luego que nos apoyaran. Entre las primeras personas a quienes le enviamos la carta se encontraban Octavio Paz, Mario Vargas Llosa, Fernando Arrabal, Xavier Domingo, Carlos Franqui, Martha Frayde y Humberto López. Con excepción de este último todos los demás respondieron afirmativamente respaldando el texto con entusiasmo.

Paz envió su respuesta por telegrama, y Martha Frayde por correo expreso.

Ahora que ya teníamos el estímulo de personas prestigiosas confeccionamos una enorme lista de posibles firmantes. Con aquella lista Jorge Camacho partió para París y yo para Madrid. Estábamos a fines de octubre y habíamos decidido que la carta sería enviada a Fidel Castro desde París el 20 de diciembre, para que llegase a sus manos antes del primero de enero de 1989, fecha en que celebraría sus treinta años de poder absoluto.

En París, Camacho, con la valiosa ayuda de Jeannine Verdés-Leroux y de Liliane Hasson (que tradujo la carta al francés) contactó a gran parte de la intelectualidad francesa que nos apoyó en masa. En Madrid, yo sostuve una reunión con Martha Frayde, Carlos Franqui y Ricardo Bofill con el fin de discutir el texto de la carta y buscar firmas. Esta reunión se celebró a fines de octubre en el hotel París, de Madrid. Decididamente la primera Carta Abierta a Fidel Castro, solicitándole un plebiscito, estaba destinada a ser "La Carta de París".

En aquel momento no había, como bien afirmó luego Octavio Paz a la prensa, un comité para el plebiscito. Simplemente éramos un grupo de amigos trabajando en una idea común. Carlos Franqui ayudaría a obtener firmas en Italia, país donde reside; Martha Frayde en España; y Ricardo Bofill, que acababa de salir de Cuba, le pediría firmas a cuanta persona de importancia para los efectos de la carta se encontrase en su camino.

En Madrid, Carlos Alberto Montaner y Pío E. Serrano le prestaron una valiosísima ayuda a Martha Frayde.

A principios de noviembre, mientras Jorge Camacho seguía trabajando en el proyecto de la carta abierta en París, regresé a Nueva York. La primera persona en los Estados Unidos a quien consulté fue a Néstor Almendros. Almendros se entusiasmó con la idea y consiguió adhesiones muy valiosas. También solicitó la ayuda de Orlando Jiménez Leal, quien generosamente puso a nuestra disposición su oficina de Guedes Film, sus ideas, y enseguida comenzó a buscar prosélitos para que nos ayudaran a difundir la carta o a firmarla.

A cada persona a quien se le planteaba el proyecto lo tomaba con tal entusiasmo que al momento comenzaba a trabajar en el mismo. Tal fue el caso de Roberto Valero, cuya casa se inundó con copias de la carta abierta que él multiplicaba, de Jorge Ulla que también colaboró entusiastamente al igual que Hilda Felipe, ex-militante del Partido Socialista Popular, y de Pere Gimferrer quien, como miembro de la Real Academia Española, revisó cada palabra y cada coma de la carta. Desde Puerto Rico, Emilio Guedes nos brindó su inteligente apoyo y todos sus esfuerzos y su ayuda económica al igual que Marcelino Miyares y José Manuel Cubas, director de una importante agencia publicitaria. Sin la ayuda y la participación de todas esas personas, y de muchas otras que por problemas de espacio no podemos mencionar, pero que aparecen como firmantes de la carta, consideramos que la misma no hubiese tenido el éxito y la repercusión que tuvo. Ahora formábamos un equipo o por lo menos éramos un numeroso grupo de amigos apasionados con un proyecto.

Los meses de noviembre y diciembre fueron para todos nosotros de una intensidad alucinante. Para conseguir cientos de firmas importantes se imponía una labor infatigable: localizar a los posibles firmantes, redactarles cartas personales a cada uno de ellos; informar, convencer, contener el cúmulo de opiniones que cada cual quería verter sobre la carta, la cual se hubiese convetido en algo más voluminoso que el Centón Epistolar de Domingo del Monte... Si se tiene en cuenta que es este corto período de tiempo tuvimos que redactar más de tres mil cartas y hacer miles de llamadas telefónicas, tal vez el lector podría hacerse una idea del trabajo que hubo que llevar a cabo. Luego, obtenido un buen número de firmas de personas de fama universal, había que realizas el contacto con la prensa para que la carta se convirtiera en noticia. Por otra parte, el gobierno cubano, enterado del proyecto intentó malograrlo y para ello utilizó a sus agentes en el exterior con el fin de sembrar la duda y la confusión entre los posibles firmantes. Pero no lo logró.

No era fácil que cientos de personas (ahora el comité propulsor se llamaba "Comité de la Carta de los Cien") se pusieran de acuerdo sobre un fecha exacta para el lanzamiento de la carta. Afortunadamente prevaleció el criterio de que la carta se publicara antes del primero de enero de 1989. Había que aguarle la fiesta a Fidel Castro y aprovechar además la publicidad que el mismo Castro había desplegado en su favor para utilizarla contra él. Finalmente muchos de los periódicos más importantes del mundo dieron a conocer la carta o su contenido el 27 de diciembre de 1988.

La repercusión fue incalculable. Tres argumentos nos favorecían: El prestigio de los firmantes, la fecha y el hecho de lanzarla desde París.

Imposible recoger el impacto total de la carta abierta cuya salida se publicó como noticia lumínica en uno de los rascacielos de Nueva York, en el periódico *News Day,* en el centro de Times Square, que es para muchos el centro del mundo. La carta le hizo perder los estribos a Fidel Castro y a sus voceros más fieles, a tal punto que llamaron a Federico Fellini "comemierda" y calificaron a Mario Vargas Llosa y a Octavio Paz de "petimetres avergonzados del delantal indio de sus madres". Pero esos insultos fueron benignos si se tiene en cuenta que un año después, cuando se volvió a lanzar la carta o un texto parecido, el gobierno de Cuba, a través de la radio oficial, llamó a todos los firmantes de la carta "hijos de puta". Y todo eso sencillamente por haberle solicitado respetuosamente a un señor que lleva más de treinta años de poder inconsulto que celebre un plebiscito.

En realidad ni Jorge Camacho ni yo pensamos que aquel documento embrionario escrito en un rincón de España iba a convertirse en uno de los documentos políticos cubanos más populares de los últimos tiempos con la firma o el apoyo de nueve Premios Nobel, de siete ex-presidentes latinoamericanos, del parlamento europeo, de cientos de congresistas brasileros, de tres presidentes constitucionales (incluyendo al presidente de los Estados Unidos de América), además de intelectuales y artistas de prestigio universal y del Partido Socialista de Italia.

Nuestro mayor estímulo, sin embargo, fue la repercusión que la solicitud de este plebiscito tuvo en Cuba. Aunque Castro, a través de sus agentes, condenó violentamente el reclamo que pedía que los cubanos con un *sí* o un *no* determinasen su destino político —esto es, determinasen si Castro debía o no seguir ejerciendo el poder—, el pueblo cubano en la isla celebró a su manera el plebiscito prohibido. En las paredes de la Habana y del interior comenzó a aparecer la palabra NO. El pueblo había votado. También votaron muchos presos políticos quienes a riesgo de su propia vida hicieron llegar a fuera de la isla su apoyo al plebiscito.

La Carta Abierta a Fidel Castro o Carta de París cumplió su cometido porque lo que se proponía no era que Castro celebrase un plebiscito neutral, con partidos de oposición y con un comité internacional como supervisor (Castro es demasiado astuto para hacer tal cosa), sino que la opinión pública mundial comprendiese que en Cuba hay una de las dictaduras más largas de este siglo y que esa disctadura no goza ya del apoyo de los intelectuales, artistas y políticos del mundo. Esta carta cuenta ahora con numerosas versiones y con miles de firmantes.

La Carta Abierta a Fidel Castro pidiéndole un plebiscito es una mano puesta en una llaga que sólo desaparecerá cuando Castro (por una u otra vía) abandone el poder. Nosotros nos oponemos rotundamente a un diálogo con Fidel Castro. El diálogo lo debe de tener el pueblo cubano con las urnas electorales y Castro con la justicia.

Reinaldo Arenas
Jorge Camacho

FIDEL CASTRO RUZ

PRESIDENTE DE LA REPUBLICA DE CUBA.

Próximamente se cumplirán treinta años de estar usted en el poder sin que, hasta la fecha, se hayan efectuado en Cuba elecciones para determinar si el pueblo desea que siga usted siendo el Presidente de la República, el Presidente del Consejo de Ministros, el Presidente del Consejo de Estado, el Presidente del Comité Central del Partido y el Comandante en Jefe de la Revolución. DESPUÉS [redacted] del ejemplo de Chile, donde el pueblo pudo decidir libremente su destino político, nos dirigimos a usted para pedirle que se efectúe en Cuba un plebiscito donde el pueblo, mediante un sí o un no, pueda manifestar sus preferencias políticas. Es un principio fundamental de los derechos humanos el que cada ciudadano pueda elegir mediante el voto libre y secreto al jefe de estado. Pedimos que ese plebiscito se realice con entera libertad, con la supervisión de la prensa extranjera y de un comité internacional que ofrezca al pueblo todas las garantías para que pueda expresar libremente su decisión. También pedimos que todos los cubanos, incluyendo a los exiliados que así lo deseen, puedan viajar a Cuba para participar en este plebiscito.

Esperando su respuesta, los abajo firmantes:

[illegible]

Reinaldo [redacted]

(Los Pajares, Almonte, España

octubre 14 de 1988)

Texto de la primera carta abierta a Fidel Castro solicitándole un plebiscito, redactado por Reinaldo Arenas con el estímulo del pintor Jorge Camacho y de su esposa Margarita Camacho. El texto se redacto en la Finca Los Pajares, Almonte, España, el 14 de octubre de 1988.

CARTA ABIERTA A FIDEL CASTRO

Sr. Fidel Castro Ruz
Presidente de la República de Cuba

El 1 de enero de 1989 se cumplen treinta años de estar usted en el poder, sin que hasta la fecha se hayan efectuado elecciones para determinar si el pueblo cubano desea que usted continúe ejerciendo los cargos de Presidente de la República, Presidente del Consejo de Ministros, Presidente del Consejo de Estado y Comandante en Jefe de las Fuerzas Armadas.

Después del ejemplo de Chile, donde el pueblo, luego de quince años de dictadura, ha podido manifestar su opinión libremente sobre el destino político del país, nos dirigimos a usted para pedirle que en Cuba se efectúe un plebiscito en el que el pueblo, con un *sí* o un *no,* pueda decidir, mediante voto libre y secreto, su conformidad o rechazo a que usted continúe en el poder.

Para que este plebiscito se realiza de una manera imparcial es imprescindible que se cumplan los siguientes puntos:

1. Que los exiliados puedan regresar a Cuba y que, junto a otros sectores de la oposición, se les permita hacer campaña en todos los medios de comunicación (prensa, radio, televisión, etc.).
2. Que se pongan en libertad a todos los presos políticos y que se suspendan las leyes que impiden el libre ejercicio de la opinión pública.
3. Que se legalicen los comités de derechos humanos dentro de Cuba.
4. Que se cree un comité internacional neutral para supervisar el plebiscito.

De triunfar el *no,* usted, señor Presidente, debe dar paso a un proceso de apertura democrática y, a la mayor brevedad posible, convocar elecciones para que el pueblo cubano pueda elegir libremente a sus gobernantes.

Versión definitiva de la Carta Abierta publicada en 27 de diciembre de 1988, en varios periódicos europeos, latinoamericanos y norteamericanos.

OPEN LETTER TO FIDEL CASTRO

Mr. Fidel Castro Ruz
President of the Republic of Cuba

On January 1, 1989, you will have been in power for thirty years without having, so far, celebrated elections to determine if the Cuban people do wish you to continue as President of the Republic, President of the Council of Ministers, President of the Council of State and Commander-in-Chief of the Armed Forces.

Following the recent example of Chile, where after fifteen years of dictatorship, the people were able to express their view freely on their country's political future, we request by this letter a plebiscite so that Cubans, by free and secret ballot, could assert simply with a *yes* or a *no* their agreement or rejection to your staying in power.

In order to guarantee the impartiality of this plebiscite, it is essential that the following conditions be met:

1. The naming of a neutral international commision to oversee the plebiscite.
2. The freeing of all political prisoners and the suspension of laws that curtail the free expression of public opinion.
3. That all exiles be allowed to return to Cuba and, together with other sectors of the opposition, permitted to campaign using all means of communication (press, radio, television, etc.).
4. The legalization of human rights committees within Cuba.

Should the *no* prevail, it would be incumbent upon you to respect the will of the majority by giving way to a period of democratic openness and promptly calling an election where the Cuban people could freely elect its leaders.

LETTRE OUVERTE A FIDEL CASTRO

M. Fidel Castro
Président de la République de Cuba

Le 1 er Janvier 1989, ce sera la trentième année de votre prise de pouvoir sans que, jusqu'à cette date, il y ait eu des élections pour déterminer si le peuple cubain désire que vous continuiez à exercer les fonctions de Président de la République, de Président du Conseil des Ministres, de Président du Conseil d'Etat et de Commandant en Chef des Forces Armées.

A la suite de l'exemple du Chili où le peuple, après quinze ans de dictadure, a pu librement exprimer son opinion sur le destin politique du pays, nous nous adressons à vous por vous demander que s'effectue à Cuba un référendum où le peuple pourra décider, par *oui* ou par *non,* au moyen d'un vote libre et secret, son accord ou son refus de votre maintien au pouvoir.

Afin que ce plébiscite soit réalisé de manière impartiale, il est indispensable que les conditions suivantes soient réunies:

1. Que les exilés puissent retourner à Cuba et que, aux côtés d'autres groupes d'opposition, ils puissent faire campagne en utilisant tous les moyens de communication (presse, radio, télévision, etc.).
2. Que soient libérés tous les prisonniers politiques, et que soient suspendues les lois empêchant la libre expression de l'opinion publique.
3. Que soient légalisés les Comités pour les Droits de l'Homme à l'intérieur de Cuba.
4. Qu'un Comité International neutre puisse superviser le déroulement du référendum.

En cas de victoire du *non,* M. le Président, vous devez entamer un processus d'ouverture démocratique et organiser, dans le plus brefs délais, des élections pour permettre au peuple cubain d'élire librement ses dirigeants.

FIRMANTES

Firmantes	
Victoria Abril	España/actriz
Josefina Aché	Venezuela/diplomática
Pierre Alechinsky	Francia/pintor
Néstor Almendros	España/cineasta
Gustavo Alvarez Gardeazábal.	Colombia/escritor
José Luis Aranguren	España/filósofo
Vicente Aranda	España/director de cine
Xavier Argüello	Nicaragua/escritor
Fernando Arrabal	España/dramaturgo
Rafael Arrillaga Torrens	Puerto Rico/escritor
Héctor Babenco	Argentina/director de cine
Stephen Baciu	Rumanía/poeta
Saul Bellow	USA/Premio Nobel de Literatura
Robert Benton	USA/director de cine y guionista
Roberto Brenes	Panamá/líder de la Cruzada Cívica
Zbigniew Brzezinski	USA/Ensayista
Jaime Benítez	Puerto Rico/profesor
Ismael Burham	Afganistán/profesor
Corbin Bernsen	USA/actor
Joseph Brodsky	URSS/Premio Nobel de Literatura
Maurice Blanchot	Francia/escritor
Vladimir Bukovski	URSS/escritor
Margarita Camacho	España/pintora
Nascimento Costa	Brasil/escritor
Pureza Canelo	España/poeta
Violeta Chamorro	Nicaragua/Presidenta de la República
Camilo José Cela	España/Premio Nobel de Literatura
Fernando Claudín	España/escritor
Alexander J. Coleman	USA/escritor
Lucio Colletti	Italia/filósofo
Leslie Caron	Francia/actriz
José de la Colina	México/escritor
José Luis Cuevas	México/pintor
Alvaro Custodio	España/dramaturgo-novelista

Pierre Daix .... Francia/escritor
Hélène Delavault .... Francia/cantante
Pierre Danais .... Francia/cantante
Jean Daniel .... Francia/director de *Nouvelle Observateur*
Jean Dausset .... Francia/Premio Nobel de Medicina
Gérard Depardieu .... Francia/actor
Jacques Derrida .... Francia/filósofo
José Donoso .... Chile/escritor
Xavier Domingo .... España/escritor
Milovan Djilas .... Yugoslavia/ensayista
Jean Ellenstein .... Francia/escritor
Jorge Edwards .... Chile/escritor
Federico Fellini .... Italia/cineasta
José Ferrater Mora .... España/filósofo
Benami Fihman .... Venezuela/escritor
Carlos Franzette .... Argentina/compositor
Luis García Planchard .... Venezuela/escritor
Enrique García Asensio .... España/músico
Elena Garró .... México/escritora
Jaime Gil de Biedma .... España/poeta
Pere Gimferrer .... España/poeta
Allen Ginsberg .... USA/poeta
Salvador Giner .... España/sociólogo
André Glucksmann .... Francia/filósofo
Ulalume González .... México/poeta
Juan Carlos González Faraco España/profesor
Juan Goytisolo .... España/escritor
Félix Grande .... España/poeta
José Luis Guarner .... España/crítico de cine
Patricia Guillermo de Chea ... Guatemala/Directora del Centro de Estudios Políticos
Cristina Guzmán .... Venezuela/editora
Liliane Hasson .... Francia/profesora
Willian M. Hoffman .... USA/dramaturgo
Sofía Imber .... Venezuela/periodista
Eugene Ionesco .... Francia/dramaturgo
Mónica Jiménez de Barros ... Chile/una de las promotoras del Plebiscito en Chile
Alain Joubert .... Francia/escritor
Anthony Kerrigan .... Irlanda/traductor
Petr Kral .... Checoslovaquia/poeta
Jacek Kuron .... Polonia/Asesor Principal de Solidaridad
John Kobal .... Canadá/escritor
Janos Kis .... Hungría/historiador
Leszek Kolakowsky .... Polonia/ensayista
Jean Lacouture .... Francia/escritor
Monique Lange .... Francia/escritora
Bernard-Henri Lévy .... Francia/filósofo

Jacques Le Goff	Francia/esritor
Juan Liscano	Venezuela/escritor
David Lynch	U.S.A./cineasta
André Lwoff	Francia/Premio Nobel de Medicina
Manuel Malaver	Venezuela/editor
Louis Malle	Francia/cineasta
Juan Marsé	España/escritor
Ibsen Martínez	Venezuela/escritor
Vladimir Maximov	URSS/escritor
Czeslaw Milosz	Checoslovaquia/Premio Nobel de Literatura
Aharon Megged	Israel/escritor
Ana María Moix	España/escritora
Plinio Apuleyo Mendoza	Colombia/escritor
Alberto Miguez	España/pintor, escritor
Vicente Molina Foix	España/escritor
Yves Montand	Francia/actor
Arturo Morales	Puerto Rico/profesor
Jack Nicholson	USA/actor
Maurice Ohana	Francia/compositor
Hélène Parmelin	Francia/escritora
Octavio Paz	México/poeta
Leo Petrovic	Yugoslavia/escritor
Pierre Luigi Pizzi	Italia/director de teatro
Alain Planes	Francia/pianista
José Pierre	Francia/escritor
Michel Pierson	Francia/escritor
Edouard Pignon	Francia/pintor
Paloma Picasso	Francia/diseñadora
Manuel Puig	Argentina/escritor
Marcel Quillévére	Francia/cantande
Valerio Riva	Italia/periodista, escritor
Paul Rebeyrolle	Francia/pintor
Jean-François Revel	Francia/ensayista
David Rieff	USA/escritor
Julián Ríos	España/filósofo
Nelson Rivera	Venezuela/editor
Alain Robbe-Grillet	Francia/escritor
Arturo Rodríguez Fernández	República Dominicana/crítico de cine
Luis Rosales	España/poeta
Richard Roud	USA/cineasta, crítico de cine, ensayista
Isabella Rossellini	Italia/actriz
Claude Roy	Francia/escritor
Xavier Rubert de Ventós	España/escritor
Fernando Savater	España/escritor
Ernesto Sabato	Argentina/escritor
Carlos Semprún	España/escritor
Suzanne Schiffman	Francia/cineasta
Barbet Schroeder	Francia/director de cine

Claude Simon	Francia/Premio Nobel de Literatura
Philipe Sollers	Francia/escritor
Susan Sontag	USA/escritora
William Styron	USA/escritor
René Tavernier	Francia/ensayista/presidente PEN Club francés
Bertrand Tavernier	Francia/cineasta
Manuel Ulacia Altolaguirre	México/poeta
Pavel Tigrid	Checoslovaquia/académico
Paule Thêvenín	Francia/escritora
Hugh Thomas	Inglaterra/historiador
Salvador Tío Montes de Oca	Puerto Rico/escritor, director de Academia Puertorriqueña de la Lengua
René Thom	Francia/matemático
Olivier Todd	Francia/periodista
Fernando Trueba	España/director de cine
Xavier Tusell	España/escritor
José Miguel Ullán	España/periodista
José Angel Valente	España/poeta
Mario Vargas Llosa	Perú/escritor
Jeannine Verdés-Leroux	Francia/escritora
Pierre Vidal-Naquet	Francia/escritor
Elie Wiesel	Israel/Premio Nobel de la Paz
Chuck Workman	USA/cineasta ganador del Premio de la Academia
I. Yannakakis	Polonia/historiador
Peng Yao	República Popular China/escritor/PEN Club
Gabriel Zaid	México/crítico
Michel Zimbacca	Francia/cineasta

Firmantes Cubanos

Iván Acosta	dramaturgo
Luis Aguilar	historiador
Roberto Agramonte	diplomático, ministro de Relaciones Exteriores del primer gobierno revolucionario
Armando Alvarez Bravo	poeta
Fernando Aragón	médico, activista de derechos humanos
Alberto Aragón	publicista
Juan Arcocha	escritor
Reinaldo Arenas	escritor
Octavio Armand	poeta
Anita Arroyo	escritora
María Badías	pintora
Vicente Báez	editor
Waldo Balart	pintor
Mario Bauzá	músico
Gastón Baquero	poeta
Antonio Benítez Rojo	escritor
Cundo Bermúdez	pintor

Ricardo Bofill	activista de derechos humanos
Reinaldo Bragado	activista de derecho humanos, novelista
Lydia Cabrera	escritora
Guillermo Cabrera Infante ...	escritor
Jorge Camacho	pintor
Lázaro Carriles	fotógrafo, escritor
Carlos Castañeda	periodista, editor de *El Nuevo Día* (San Juan, P.R.)
Humberto Castelló	periodista
Siro del Castillo	activista de derechos humanos
Uva Clavijo	poeta
Natalio Chediak	cineasta, director del Festival de Cine de Miami
Samuel Cherson	crítico de arte
Raúl Chibás	ex-comandante del Ejército Rebelde
Miguel Correa	escritor
Celia Cruz	cantante
José Manuel Cubas	publicista
Rolando Cubelas	ex-comandante del Ejército Rebelde y ex-presidente de la FEU
Guy Cuevas	artista
Belkis Cuza Malé	poeta, escritora
Paquito D'Rivera	músico
Vicente Echerri	poeta
Himilce Esteve	profesora
Roberto Estopiñán	escultor
Daisy Expósito	publicista
Roberto Fandiño	cineasta
Hilda Felipe	activista de derechos humanos
Joaquín Ferrer	pintor
Eugenio Florit	poeta
Carlos Franqui	escritor, ex-director de Radio Rebelde y del periódico Revolución
Martha Frayde	médico, escritora, ex-representante de Cuba en la UNESCO
Ileana Fuentes	profesora de arte
Florencio García Cisneros	escritor, director de *Noticias de Arte*
José Gómez Sicre	crítico de arte
Natividad González-Freyre ...	crítico
Emilio Guedes	cineasta, ex-dirigente de la resistencia contra Batista
José Guerra Alemán	escritor
Ariel Gutiérrez	arquitecto
Eloy Gutiérrez Menoyo	ex-comandante del Ejército Rebelde
Horacio Gutiérrez	pianista
José Hernández	historiador
Ivette Hernández	pianista
Julio Hernández Miyares	poeta, ensayista
Rosario Hiriart	escritora
Orlando Jiménez Leal	cineasta, co-director de *Conducta Impropia*

René Jordán .... crítico de cine
Tirso del Junco .... médico
Dolores M. Koch .... profesora
Enrique Labrador Ruiz .... novelista
Felipe Lázaro .... poeta, editor
César Leante .... escritor, editor
Carlos López .... abogado
Alfredo Lozano .... escultor
Carlos M. Luis .... poeta
Jacobo Machover .... periodista, escritor
Leví Marrero .... historiador, ex-embajador en la OEA, en el primer gobierno revolucionario
José Mario .... poeta
Fausto Masó .... escritor
José María Mijares .... pintor
Marcelino Miyares .... productor de televisión
Carlos Alberto Montaner ..... periodista, escritor
Nivia Montenegro .... crítica, profesora
Chico O'Farrill .... compositor
Jorge Olivares .... ensayista
Julián Orbón .... compositor
Heberto Padilla .... poeta
Eduardo Palmer .... abogado, productor de TV
Felipe Pazos .... economista, ex-presidente de Banco Nacional de Cuba durante el primer gobierno revolucionario
Gustavo Pérez Firmat .... poeta, crítico literario
Hilda Perera .... novelista
Carlos Quintela .... periodista, activista de derechos humanos
Daniel Ponce .... percusionista
Manuel Ray .... ingeniero, ex-ministro de obras Públicas durante el primer gobierno revolucionario
Andrés Reynaldo .... escritor, poeta
Miguel Sales .... poeta
Baruj Salinas .... pintor
Octavio Roca .... periodista
Perla Rozencvaig .... ensayista
Mari Rodríguez-Ichaso .... periodista
Enrico Mario Santí .... escritor, crítico, profesor
Justo Rodríguez Santos ...... poeta
Pío E. Serrano .... poeta
María Sifonte Vázquez .... contable
Ismael Suárez de la Paz ...... líder revolucionario
Ramón F. Suárez de la Paz camarógrafo
José Triana .... dramaturgo
Enrique Trueba .... empresario
Jorge Ulla .... cineasta, co-director de *Nadie Escuchaba*
Roberto Valero .... poeta, ensayista
Armando Valladares .... poeta, Embajador de los Estados Unidos en la ONU

Camilo Vila .... cineasta
Carlos Verdecia .... editor de El Nuevo Herald
Mario Villar Roces .... abogado/periodista

Comité para la divulgación de la Carta de París (Plebiscito).
Madrid: Martha Frayde.
Miami: Hilda Felipe.
New York: Reinaldo Arenas, Orlando Jiménez Leal y Jorge Ulla.
París: Jorge Camacho.
Puerto Rico: Emilio Guedes.
Washington: Roberto Valero.

(A esta "Carta de París", exigiendo un plebiscito, se han adherido cientos de cubanos en el interior del país: presos políticos, miembros activos de los derechos humanos, simples ciudadanos cubanos, que con este gesto valiente, lleno de graves consecuencias para ellos, denuncian los treinta años de dictadura absoluta.)

Hago constar que todos los signatarios a la Carta Abierta a Fidel Castro han enviado sus firmas por escrito o las han confirmado por vía telefónica. Los nombres de los firmantes han sido aprobados por mayoria democrática del comité gestor. Al lado de cada página de los firmantes aparecen mis iniciales. Ningún nombre puede ser añadido sin la aprobación mayoritaria del comité gestor. Y para que así conste firmo el presente documento a los 19 días del mes de diciembre de 1988 en la ciudad de Nueva York.

Everything is true:

Reinaldo Arenas

Reinaldo Arenas

STATE OF NEW YORK
COUNTY OF NEW YORK
SWORN TO BEFORE ME
THIS 19th DAY OF Dec 1988

Abraham I. Deutsch

ABRAHAM I. DEUTSCH
Notary Public, State of New York
No. 24-0934500
Qualified in Kings County
Commission Expires 5/31/89

Acta legalizada por Reinaldo Arenas sobre la autenticidad de las firmas a la Carta Abierta a Fidel Castro o Carta de París, dada a conocer al mundo el 27 de diciembre de 1988.

Ofrecemos una serie de documentos sobre la evolución seguida por la Carta Abierta enviada a Fidel Castro solicitándole un plebiscito; sus variantes, su acogida antes de publiarse, las reacciones de Fidel Castro y su gobierno, la repercusión de la prensa mundial. Por razones económicas no podemos publicar todos los documentos que quisiéramos, sino una selección de aquéllos que consideramos más significativos. Los mismos están ordenados cronológicamente. Los documentos originales pueden ser consultados en la colección Reinaldo Arenas, de la Universidad de Princenton, New Jersey.

Almonte, España. Oct 15/8

Octavio Paz

Querido Octavio:

Te enviamos el presente documento que se explica por si mismo. Nos sería muy importante tu apoyo y estímulo, así como cualquier sugerencia al texto. Además de tu nombre hemos pensado en otros importantes intelectuales y personalidades políticas. Sería una gran ayuda si nos sugieres y obtienes los nombres de otras personas que nos apoyen con sus firmas. Te rogamos nos respondas lo más pronto posible, pues el primero de enero se cumplirán treinta años de dictadura castrista y quisiéramos que este documento se pulicase lo antes posible.

Un gran abrazo,

Jorge Camacho

Reinaldo Arenas

INDICACIONES
RECEPCION

CORREOS Y TELEGRAFOS

TELEGRAMA

ZCZC HVA002 478
MEXICO DF 16 8 1759

CAMACHO ARENAS
LOS PAJARES

ALMONTE

DE ACUERDO LOS FELICITO TEXTO
OCTAVIO PAZ

GIRO NACIONAL
10.NOV.88
HUELVA
ALMONTE

FIDEL CASTRO RUZ

PRESIDENTE DE LA REPUBLICA DE CUBA.

Próximamente se cumplirán treinta años de estar usted en el poder sin que, hasta la fecha, se hayan efectuado en Cuba elecciones para determinar si el pueblo desea que siga usted siendo el Presidente de la República, el Presidente del Consejo de Ministros, el Presidente del Consejo de Estado, el Presidente del Comité Central del Partido y el Comandante en Jefe de la Revolución. DESPUES del ejemplo de Chile, donde el pueblo pudo decidir libremente su destino político, nos dirigimos a usted para pedirle que se efectúe en Cuba un plebiscito donde el pueblo, mediante un sí o un no, pueda manifestar sus preferencias políticas. Es un principio fundamental de los derechos humanos el que cada ciudadano pueda elegir mediante el voto libre y secreto al jefe de estado. Pedimos que ese plebiscito se realice con entera libertad, con la supervisión de la prensa extranjera y de un comité internacional que ofrezca al pueblo todas las garantías para que pueda expresar libremente su decisión. También pedimos que todos los cubanos, incluyendo a los exiliados que así lo deseen, puedan viajar a Cuba para participar en este plebiscito.

Esperando su respuesta, los abajo firmantes:

(Mario Vargas Llosa)

Queridos Jorge y Reinaldo.

Recibí la carta que tuvieron a bien enviarme, les quiero decir que los felicito por la idea y ojalá tenga un buen impacto internacional que es su primer objetivo. Además está el detalle pueden poner mi firma y trataré de ayudarles en lo posible.

En lo personal tengo experiencia ya que logré unas magníficas firmas en España y Francia cuando se pidió un apoyo para el Comité de Derechos Humanos en Cuba, sería largo contarles como se llevó esta campaña, por lo cual les pido me llamen por teléfono a casa para sugerirles algunas ideas, pensando les puedan ser de utilidad. Mi teléfono es el [redacted] me llaman temprano en la mañana o en la noche para mas seguridad.

Saludos a Margarita junto a un abrazo para los dos.

Martha

(Martha Frayde)

REAL ACADEMIA
ESPAÑOLA

Palma de Mallorca, 24 de noviembre de 1988.

Dra. Martha Frayde Barraqué
Paseo de la Florida, 27, 8º B
28008 Madrid

Distinguida señora,

Con mucho gusto firmo el documento que me hace llegar, honrándome el hacerlo junto a los compañeros de letras que me dice: José Angel Valente, Juan Goytisolo, Octavio Paz, etc.

Le saluda afectuosamente,

Camilo José Cela

Estocolmo, 4 nov. 1988

Querido Reynaldo/Camacho,

Gracias por vuestra carta del 29 de oct. pasado.

Siento no poder ayudarles, ya que he decidido anteriormente en no participar en ningún acto de carácter político. Por ello no quiero que mi nombre sea utilizado para este tipo de campañas.

Pienso al mismo tiempo que resulta absurdo comparar a un dictador como Pinochet, que tomó el poder asesinando a miles de chilenos, y derrocando a un presidente elegido por su pueblo, con Fidel Castro. Ese tipo de campañas, como muchas otras, solamente sirven para aislar aún más al llamado exilio cubano, y situarlo fuera -aún más- de los enormes cambios que se están originando en la Unión Soviética, los países del Este, pero también en cierta forma en Cuba.

Sin más por el momento se despide de ustedes,

con un saludo,

Humberto López y Guerra

Se adjunta respuesta de Reinaldo Arenas a esta carta. En dicha respuesta Arenas trata de despistar a López sobre la continuación del proyecto del plebiscito.

Nueva York, noviembre 14,1988.

Querido Humberto Lopez Cuirra.

Gracias por tu rápida respuesta.

Néstos Almendros y yo hemos leido con gran pesar tu texto. De acuerdo con el mismo, parece que los chilenos sí tienen derecho a elegir un gobierno por vía democrática, pero no los cubanos. ¿Somos inferiores? ¿No tenemos la misma dignidad? Por otra parte, Fidel Castro no tomó el poder de una manera democrática y ha asesinado a muchos más cubanos que los chilenos aniquilados por Pinochet. Lo de la prestroika, al parecer no sabes que en Cubaes tabú y que el mismo Castro se ha manifestado contra ella. Debería extrañarme tu posición, sobre todo cuando he compartido contigo experincias muy claras políticamente en Suecia. Lo unico que defendemos es el derecho de los cubanos a ser libres. Es una canallada quedarse indiferente ante el crimen, sobre todo cuando ese crimen se extiende por treinta años. Sobre lo que me escribes de que has decidido no participar en ningún acto de caracter político, supongo que ese implica que renunciarás a tu vida anterior y comenzarás otra sobre una torre de cristal nevado donde, vestido a la rusa, compondrás loas a las cigüeñas que huyen a toda velocidad hacia lugares más cálidos. En esa aventura poética te deseo grandes éxitos -mÁs desde luego que los que ha obtenido en tus escaramuzas políticas-, ah, y una buena remuneración.

Todos los afectos que te mereces,

Pd. De todos modos he renunciado a la idea del plebiscito pues estoy muy ocupado con mi nueva novela.

Reinaldo Arenas.

Santos Lugares, noviembre de 1988

Querido y admirado Arenas:

No, no recibí su carta anterior, debido seguramente a nuestra larguísima huelga de correos. Por supuesto, puede usted contar con mi firma, pues siempre he estado contra toda clase de dictadura, tanto de derecha como de izquierda. Soy partidario de la justicia social pero siempre que esté unida a la libertad: la libertad sola, sin justicia social, sòlo existe para una ínfima minoría; la justicia social sin libertad substituye la tiranía la tiranía del dinero por la del buró político.

Con un cordial y fraternal recuerdo,

E. Sábato

(ERNESTO SÁBATO)

Noviembre 21 de 1988

Mi querido Reinaldo Arenas :

Gracias por tu nota y solicitud. Puedes utilizar mi modesta firma en el breve pero elocuente documento destinado al anciano paranoico que nos ha robado temporalmente la patria. Aunque algunos de los mencionados, como el bandido Carlos Andrés Pérez --a quien conozco desde hace 38 años y ayudé durante su exilio en Cuba--no firmarán, creo que reuniremos firmas suficientes para un nuevo proceso de desenmascaramiento del bien llamado <u>loco.</u>

El volumen 14 se ha demorado bastante en la imprenta, pero debo tenerlo en pocas semanas. Te haré llegar un ejemplar. Trabajo en el 15 y final. Dios parece me permitirá cerrar el ciclo hasta 1868.

Confío en que continuarás produciendo y honrando nuestra literatura. Afectuosamente,

(Leví Marrero)

(Leví Marrero).

November 22, 1988

Dear friend: SUSAN SONTAG.

We are enclosing a statement that is self-explanatory. Your signature would be most significant. So far, we have obtained the signatures of Mario Vargas Llosa, Octavio Paz, Juan Goytisolo, Nestor Almendros and Fernando Arrabal, among others. We are shortly expecting those of Ives Montand, Eugène Ionesco, Milan Kundera and many more.

In this time of fundamental changes in the Soviet Union, we believe that Cuba could also participate of this openness. In view of your prestige and intellectual integrity , we look forward to your support.

Your permission or signature can be sent to the following address:

Reinaldo Arenas

Reinaldo Arenas | Orlando Jiménez Leal

Néstor Almendros
(NÉSTOR ALMENDROS)

Susan Sontag

J. FERRATER MORA

29 de noviembre, 1988

Sr. D. Reinaldo Arenas

Estimado amigo:

Le confirmo lo que le dije hace muy pocoas días a Néstor Almendros, es decir, que estoy de acuerdo en que incluyan mi firma en la "Carta abierta a Fidel Castro", que Néstor me leyó por teléfono.

Aprovecho esta oportunidad para e

José Ferrater Mora

December 3,1988

Dear friends Reinaldo Arenas and Orlando Jimenez Leal:

Here you have my permission and undemeath my signiture, expressing my support for your open letter to Fidel Castro. Your request on Cuban president is fully correct because an old saying puts it so: No man is so good that he should rule /stay in power upon me/ without my consent!

I sicerely hope that you would bring señor Castro to the simple insight that he is only a man and that times of dictators are not our times.

Yours faithfully

Leo Petrovič, translator

Leo Petrovič

Yugoslavia, Europe

This letter was electronically transmitted and distributed by **MCI Mail**

December 7, 1988

REYNALDO ARENAS

NEW YORK NY 10108

MESG ID : WCD043 UWNX
FROM :MEXICO
MEXICOCITY D F 04 06 1720
REYNALDO ARENAS

NEW YORK NY 10108
ESTUPENDA INCITIAVA AUTORIZO FIRMA
GABRIEL ZAID

WCD043 XCP998
Time: 8:48 12/07/88 VIA CMS DL CAA177

París, 9 de Diciembre 1988

Estimado Jorge Camacho,

Sí, claro, firmo inútil y sinceramente nuestra "carta abierta" a Fidel Castro a propósito de elecciones libres en Cuba

Cordialmente,

Carlos Semprún

(CARLOS SEMPRÚN)

CENTRE D'ANALYSE
ET D'INTERVENTION SOCIOLOGIQUES
CADIS
ÉCOLE DES HAUTES ÉTUDES
EN SCIENCES SOCIALES
CNRS

Le Directeur,

Paris, le 12 décembre 1988

Monsieur Jorge CAMACHO

75014 PARIS

Monsieur,

Je donne ma signature à la lettre ouverte que vous avez fait déjà signer par un certain nombre de personnalités de divers pays.

Croyez, je vous prie, Monsieur, à l'assurance de mes sentiments distingués.

Alain TOURAINE

París, Diciembre 13 de 1988

Querido Reynaldo: Acabo de recibir tu carta. Estoy
de acuerdo con los planteamientos que se hacen
pidiendo un plebiscito al gobierno cubano.
Totalmente de acuerdo. Puedes poner mi nombre en la lista. Ya hablé con Jorge Camacho y le dije que me incluyera. También
hablé con Néstor. A Camacho le di una serie
de nombres que considero importantes con sus
direcciones y teléfonos respectivos. Espero que
se logre algo. Son demasiados años de un hombre
en el poder. Nuestro pueblo merece un camino
más luminoso. Cariños permanentes, José Triana

(JOSÉ TRIANA)

Amigo [illegible]

Gracias por haber

contado conmigo

Mi afecto

[illegible]

(Eugenio Florit)

aunque no creo

en el resultado.

Es demasiado tarde

el hombre.

Vale.

(Eugenio Florit)

Mr. Jorge Camacho

Paris

Paris, le 15 Décembre 1988

Cher Monsieur,

C'est avec un grand plaisir que je signe cette pétition.

Avec mes respects,

ВМаксимов

Vladimir Mascimov

(VLADIMIR MAXIMOV)

CZESLAW MILOSZ

le 20 décembre
1988

Cher Monsieur,

Je donne volontiers ma signature sous la lettre ouverte à Castro

avec mes meilleurs voeux

Czesław Miłosz

Carta dirigida a Jorge Camacho por Czeslaw Milosz.

Querido amigo - estoy de acuerdo con vosotros, pero no quiero firmar. Es que detesto la impresión de impotencia que da una carta a la cual el destinatario no contesta.

Con buenas y malas recuerdos

su amigo

Enzensberger

CArta dirigida a Reinaldo Arenas por Hans Magnus Hanserberguer Republica Federal Alemana. Diciembre 1988.

Boston University

Elie Wiesel, *Andrew W. Mellon Professor in the Humanities*

December 20, 1988

Mr. Reinaldo Arenas
P. O. Box 674, Times Square Station
New York, New York 10108

Dear Mr. Arenas:

OK - you have my permission to attach my name in support of the statement to Fidel Castro.

With best wishes,

Elie Wiesel /MH

Elie Wiesel

EW/mlh

A Reinaldo Arenas

A 20 de Febrero de 1989.

Querido amigo:

Gracias por sus líneas, tan efusivas y amistosas. La "Carta a Fidel Castro" cumplió con creces su propósito. Una vez más les felicito, a usted y a nuestro amigo Jorge Camacho, por su idea y por la forma valerosa e inteligente con que la llevaron a cabo. Aquí la Carta provocó sensación, discusiones en los periódicos y respuestas indignadas de muchos escritores (Cardoza y Aragón, Monterroso, Elena Poniatovska, Leopoldo Zea, Jaime Sabines y otros). Fingieron escandalizarse por la mención de Pinochet. Cuando Castro estuvo aquí, en la ceremonia de toma de posesión de Salinas, muchos escritores y artistas concurrieron a un festejo de la Embajada de Cuba en su honor. Quiero creer que algunos, después de leer la Carta, habrán sentido rubor. Aunque no debemos hacernos demasiadas ilusiones: en México la clase intelectual ha preferido cerrar los ojos ante la realidad del "socialismo real" -y taparse las orejas ante los gritos de sus víctimas. ¿Persistencia de las actitudes estalinistas? Sí, pero también la vieja veneración al jefe: monarca azteca, virrey español, caudillo latinoamericano. Nuestros intelectuales son una mezcla de clérigos dogmáticos y cortesanos.

En cuanto a Milán Kundera: hay que resignarse. Lo quiero y lo admiro pero no me atrevo a pedirle que firme la carta: una y otra vez me ha dicho -y lo ha declarado en público varias veces- que no firma esa clase de documentos, incluso si, como en este caso, está de acuerdo con su contenido. Recuerde usted al personaje de su última novela: participa en la resistencia en contra de la ocupación soviética pero, una vez en el exilio, se rehusa a toda acción política colectiva. Hay que respetarlo, aunque no se coincida con él.

Un saludo afectuoso de su amigo y lector,

Octavio Paz

P.D. Vamos a ilustrar un número de Vuelta con reproducciones de cuadros y dibujos de Jorge Camacho. Me gustaría mucho publicar, si usted nos autoriza, alguno de los textos (excelentes) que usted ha escrito sobre este artista. Pienso en Reto insular o el admirable Prólogo del canto de las arenas.

(OCTAVIO PAZ)

Diciembre 21 de 1988.

EL NACIONAL / *Miércoles 21 de diciemb*

Escritores plantean plebiscito en Cuba

"En estos momentos, donde se están celebrando cambios de gran trascendencia en la Unión Soviética, nos parece que también Cuba podría incorporarse a esa nueva apertura política", plantean intelectuales internacionales como Néstor Almendros, Octavio Paz, Fernando Arrabal, Heberto Padilla, Saúl Bellow, Manuel Puig, Carlos Castañeda, David Rieff, Camilo José Cela, Isabella Rosellini, Guillermo Cabrera Infante, Ernesto Sábato, Federico Fellini, Juan Goytisolo, Eugene Ionesco, Mario Vargas Llosa, Barbet Schroeder, Susan Sontang y René Tavernier, en comunicación sobre recolecta de firmas en tal sentido, propuesta por Reinaldo Arenas y Orlando Jiménez Leal, desde Nueva York.

Tales firmas serían para enviar una carta al presidente Fidel Castro, exigiéndole la realización de un plebiscito con los siguientes puntos:

1) Que los exilados puedan regresar a Cuba y que, junto a otros sectores de la oposición, se les permita hacer campaña en todos los medios de comunicación (prensa, radio, televisión).

2) Que se pongan en libertad a todos los presos políticos y que se suspendan las leyes que impiden el libre ejercicio de la opinión pública.

3) Que se legalicen los comités de derechos humanos dentro de Cuba.

4) Que se cree un comité internacional neutral para supervisar el plebiscito.

OPEN LETTER TO
FIDEL CASTRO
President of the Republic of Cuba

On January 1, 1989 you will have been in power for thirty years without having, so far, celebrated elections to determine if the Cuban people do wish you to continue as President of the Republic, President of the Council of Ministers, President of the Council of State and Commander-in-Chief of the Armed Forces.

Following the recent example of Chile, where after fifteen years of dictatorship, the people were able to express their view freely on their country's political future, we request by this letter a plebiscite so that Cubans, by free and secret ballot, could assert simply with a **yes** or a **no** their agreement or rejection to your staying in power.

In order to guarantee the impartiality of this plebiscite, it is essential that the following conditions be met:

1. **The naming of a neutral international commission to oversee the plebiscite.**
2. **The freeing of all political prisoners and the suspension of laws that curtail the free expression of public opinion.**
3. **That all exiles be allowed to return to Cuba and, together with other sectors of the opposition, permitted to campaign using all means of communication (press, radio, television, etc.).**
4. **The legalization of human rights committees within Cuba.**

Should the **no** prevail, it would be incumbent upon you to respect the will of the majority by giving way to a period of democratic openness and promptly calling an election where the Cuban people could freely elect its leaders.

Josefina Aché Venezuela/diplomat **Pierre Alechinsky** France/writer **Néstor Almendros** Spain/cineaste Academy Award for Cinematography **Gustavo Alvarez Gardeazabal** Colombia/writer **Vicente Aranda** Spain/film director **Fernando Arrabal** Spain/playwright **Héctor Babenco** Argentina/film director **Stephen Baciu** Rumania/poet **Saul Bellow** USA/Nobel Prize in Literature **Robert Benton** USA/film director, screenwriter, Academy Award winner **Jaime Benítez** Puerto Rico/educator **Corbin Bernsen** USA/actor **Maurice Blanchot** France/writer **Margarita Camacho** Spain/painter **Pureza Canelo** Spain/poet **Camilo José Cela** Spain/writer **Lucio Colletti** Italy/philosopher **José de la Colina** Mexico/writer **Alvaro Custodio** Spain/playwright-novelist **Pierre Daix. Jean Daniel** France/editor of *Nouvelle Observateur* **Jean Dausset** France/Nobel Prize in Medicine **Gerard Depardieu** France/actor **Jacques Derrida** France/critic **Cristian Dobles** Costa Rica/artist. **Xavier Domingo** Spain/writer **Federico Fellini** Italy/cineaste **José Ferrater Mora** Spain/philosopher **Ben Ami Fihman** Venezuela/writer **Carlos Franzetti** Argentina/composer **Luis García Planchard** Venezuela/writer **Jaime Gil de Biedma** Spain/critic **Pere Gimferrer** Spain/poet **Salvador Giner** Spain/philosopher **Andre Glucksmann** France/philosopher **Juan Goytisolo** Spain/writer **Félix Grande** Spain/poet **José Luis Guarner** Spain/film critic **Eloy Gutiérrez Menoyo** Spain-Cuba/former Comandante of the Revolution, 22 years in jail **Cristina Guzmán** Venezuela/editor **Williams M. Hoffman** USA/playwright, author of *As [illegible]* **Sofia Imber** Venezuela/journalist **Eugene Ionesco** France/writer **Anthony Kerrigan** Ireland/translator **John Kobal** USA/writer **Leszek Kolakowsky** Poland/essayist **Monique Lange** France/writer **Bernard Henri Levy** France/philosopher **Jacques Leverf** France/writer **Juan Liscano** Venezuela/writer **André Lwoff** France/Nobel Prize in Medicine **Manuel Malaver** Venezuela/editor **Juan Marsé** Spain/writer **Ibsen Martinez** Venezuela/playwright **Vladimir Maximov** USSR/writer **Aharon Megged** Israel/writer **Plinio Apuleyo Mendoza** Colombia/writer **Alberto Miguez** Spain/writer **Vicente Molina Foix** Spain/writer **Yves Montand** France/actor **Arturo Morales Carrión** Puerto Rico/educator **Jack Nicholson** USA/actor, filmmaker **Maurice Ohana** France/writer **Octavio Paz** Mexico/poet **Leo Petrovic** Yugoslavia/writer **Eduard Pignon** France/painter **Manuel Puig** Argentina/writer **Valerio Riva** Italy/journalist writer **Jean Francois Revel** France/essayist **David Rieff** USA/writer **Nelson Rivera** Venezuela/literary editor **Arturo Rodriguez Fernández** Dominican Republic/film critic **Richard Roud** USA/cineaste, film critic-essayist **Isabella Rossellini** Italy/actress **Claude Roy** France/writer **Xavier Ruber Ventós** Spain/writer **Fernando Sabater** Spain/writer **Ernesto Sábato** Argentina/writer/head of the Tribunal [illegible] **Carlos Semprún** Spain/writer **Suzanne Schiffman** France/filmmaker **Barbet Schroeder** France/film director **Claude Simon** France/Nobel Prize in Literature **Phillipe Sollers** France/critic **Susan Sontag** USA/writer, president PEN Club **Rene Tavernier** France/essayist/[illegible] **Babel Tigrid** Czechoslovakia/academician **Salvador Tió** Puerto Rico/member Royal Academy of Language **Olivier Todd** France/journalist **Fernando Trueba** Spain/film director **Javier Tusell** Spain/writer **José Miguel Ullán** Spain/journalist **José Angel Valente** Spain/poet **Mario Vargas Llosa** Peru/writer **Jeannine Verdes-Leroux** France/writer **Chuck Workman** USA/Academy Award winner-filmmaker/President *International Documentary A[illegible]* **I. Yannakakis** Poland/historian **Peng Yao** China/writer/PEN Club **Gabriel Zaid** Mexico/[illegible]

CUBAN SIGNATORIES: **Iván Acosta** playwright **Roberto Agramonte** [illegible] former minister of Foreign Relations first Revolutionary Government **Fernando Alvarez** [illegible] **Alberto Aragón** advertising **Juan Arcocha** writer **Reinaldo Arenas** writer **Octavio Armand** poet **María Badías** painter **Vicente Báez** editor/leader of the resistance against Batista **Mario Bauzá** musician **Antonio Benitez Rojo** essayist/academician **Ricardo Bofill** human rights activist **Lydia Cabrera** writer, ethnologist **Guillermo Cabrera-Infante** writer **Jorge Camacho** painter **Lázaro Carriles** photographer **Carlos Castañeda** journalist/editor [illegible] San Juan, PR **Natalio Chediak** cineaste/director of the Miami Film Festival **Samuel Cherson** critic **Raúl Chibás** educator/former Comandante of the Rebel Army **Miguel Correa** writer **Celia Cruz** singer **José Manuel Cubas** advertising **Guy Cuevas** artist **Bélkis Cuza Malé** poet **Siro del Castillo** human rights activist **Tirso del Junco** medical doctor **Paquito D'Rivera** musician **Roberto Estopiñán** sculptor **Daisy Expósito** advertising **Hilda Felipe** [illegible] rights activist/former member of the Communist Party **Joaquín Ferrer** painter **Eugenio Florit** poet **Carlos Franqui** writer/former director of *Radio Rebelde* and the daily *Revolución* **Martha Frayde** medical doctor/writer/former Cuban representative to UNESCO **Ileana Fuentes** art professor **Natividad González Freyre** critic **Emilio Guede** cineaste/former leader of the anti-Batista struggle **José Guerra-Alemán** writer **Andy García** actor **Ariel Gutiérrez** businessman **Horacio Gutiérrez** pianist **Ivette Hernández** pianist **Rosario Hiriart** writer **León Ichaso** [illegible] director **Orlando Jiménez-Leal** cineaste/co-director of *Improper Conduct* **René Jordán** film critic **Enrique Labrador Ruiz** novelist **César Leante** writer **Carlos López-Lay** attorney **Levi Marrero** historian/former ambassador to the OAS in the first Revolutionary Government **Fausto Masó** writer **José M. Mijares** painter **Marcelino Miyares** television producer **Carlos Alberto Montaner** writer **Chico O'Farrill** composer **Julian Orbón** composer **Heberto Padilla** poet **Eduardo Palmer** attorney, TV producer **Felipe Pazos** economist/former president of the Cuban National Bank in the first Revolutionary Government **Hilda Perera** novelist **Daniel Ponce** percussionist **Manuel Ray** engineer/former minister of Public Works in the first Revolutionary Government **Octavio Roca** journalist **Mari Rodriguez-Ichaso** journalist **Justo Rodriguez Santos** poet **Miguel Sales** poet **Pío E. Serrano** poet **María Sifonte Vásquez** economist **Leonardo J. Soriano** writer **Ismael Suárez de la Paz** leader in the anti-Batista struggle **Ramón F. Suárez** cinematographer **José Triana** playwright **Enrique Trueba** businessman **Jorge Ulla** cineaste/co-director of *Nobody Listened* **Roberto Valero** poet **Armando Valladares** human rights activist, writer, author of *Against All Hope* **Carlos Verdecia** former vice-minister of Trade of the Revolutionary Government/editor of *El Nuevo Herald* **Camilo Vila** filmmaker **Mario Villar Roces** attorney/writer

SPONSORED BY
COMITE DE LA CARTA DE LOS CIEN
45 W 45th St. Suite 206 N.Y. N.Y. 10036

The New York Times, Dec. 27 ,1988.

Paris, December 20, 1988

CARTA ABIERTA A FIDEL CASTRO

Señor Fidel Castro Ruz
Presidente de la República de Cuba

El 1 de enero de 1989 se cumplen treinta años de estar usted en el poder sin que, hasta la fecha, se hayan efectuado elecciones para determinar si el pueblo cubano desea que usted continúe ejerciendo los cargos de Presidente de la República, Presidente del Consejo de Ministros, Presidente del Consejo de Estado y Comandante en Jefe de las Fuerzas Armadas.

Después del ejemplo de Chile, donde el pueblo, luego de quince años de dictadura, ha podido manifestar su opinión libremente sobre el destino político del país, nos dirigimos a usted para pedirle que en Cuba se efectúe un plebiscito donde el pueblo, con un sí o un **no**, pueda decidir mediante voto libre y secreto, su conformidad o rechazo a que usted continúe en el poder.

Para que este plebiscito se realice de una manera imparcial es imprescindible que se cumplan los siguientes puntos:

1. **Que los exiliados puedan regresar a Cuba y que, junto a otros sectores de la oposición, puedan hacer campaña a través de todos los medios de comunicación (prensa, radio, televisión, etc.)**
2. **Que se pongan en libertad todos los presos políticos y que se suspendan las leyes que impiden el libre ejercicio de la opinión pública.**
3. **Que se legalicen los Comités de Derechos Humanos dentro de Cuba.**
4. **Que se cree un Comité Internacional neutral para supervisar el plebiscito.**

Si triunfara el **no**, usted, señor Presidente, debe dar paso a un proceso de apertura democrática y, a la mayor brevedad posible, convocar elecciones para que el pueblo cubano pueda elegir libremente a sus gobernantes.

FIRMANTES INTERNACIONALES: **José Luis Aranguren**, filósofo. **Fernando Arrabal**, dramaturgo. **Josefina Aché**, diplomática. **Pierre Alechinsky**, escritor. **Néstor Almendros**, cineasta. **Gustavo Álvarez Gardeazábal**, escritor. **Vicente Aranda**, director de cine. **Rafael Arrillaga Torrens**, escritor. **Héctor Babenco**, director de cine. **Stephen Becky**, poeta. **Saul Bellow**, premio Nobel de Literatura. **Robert Benton**, director de cine y guionista. **Jaime Benítez**, educador. **Corbin Bernsen**, actor. **Maurice Blanchot**, escritor. **Margarita Camacho**, pintora. **Fereas Canale**, poeta. **Camilo José Cela**, escritor. **Lucio Colletti**, filósofo. **José de la Colina**, escritor. **Pierre Emmanuelle Clancier**, escritor-poeta. **Álvaro Custodio**, dramaturgo y novelista. **Fernando Claudín**, escritor. **Pierre Daix**, escritor. **Jean Daniel**, editor del *Nouvelle Observateur*. **Jean Dausset**, premio Nobel de Medicina. **Gerard Depardieu**, actor. **Jacques Derrida**, crítico. **Javier Domingo**, escritor. **Pierre Dumais**, actor. **Jean Dupuicé**, poeta. **Jacques Ellul**, escritor. **Jean Elleinstein**, escritor. **Federico Fellini**, director de cine. **José Ferrater Mora**, filósofo. **Ben Ami Fihman**, escritor. **Carlos Franzetti**, compositor. **Luis García Planchard**, escritor. **Jaime Gil de Biedma**, poeta. **Pere Gimferrer**, poeta. **Salvador Giner**, sociólogo. **Elena Garro**, escritora. **André Glucksmann**, filósofo. **Juan Goytisolo**, escritor. **Félix Grande**, poeta. **José Luis Guarner**, crítico de cine. **Cristina Guzmán**, editora. **Liliana Heker**, escritora. **William E. Hoffmann**, dramaturgo. **Sofía Imber**, periodista. **Eugene Ionesco**, escritor. **Anthony Kerrigan**, traductor. **Petro Kral**, escritor. **Julia Kebel**, escritor. **Leszek Kolakowsky**, ensayista. **Monique Lange**, escritora. **P. E. Lanoler**, escritor. **Bernard Henri Levy**, filósofo. **Jacques Lovert**, escritor. **Juan Losada**, escritor. **Juan Liscano**, escritor. **Jacques Leibas**, médico. **André Lwoff**, premio Nobel de Medicina. **Manuel Malaver**, editor. **Juan Marsé**, escritor. **Ibsen Martínez**, dramaturgo. **Vladimir Maximov**, escritor. **Aharon Megged**, escritor. **Martín Meissetier**, periodista. **Plinio Apuleyo Mendoza**, escritor. **Alberto Míguez**, escritor y periodista. **Vicente Molina Foix**, escritor. **Ivés Montand**, actor. **Arturo Morales Carrión**, educador e historiador. **Jack Nicholson**, actor y cineasta. **Maurice Olsena**, escritor. **Y. Pemian**, escritor. **Octavio Paz**, poeta. **José Pierre**, crítico de arte. **Leo Petrovic**. **Elena Parmaidane**, escritora. **Eduardo Pignon**, pintor. **Manuel Puig**, escritor. **Pierre Luigi Pizzi**, director de teatro. **Marcel Guilleyré**, actor de teatro. **Valerio Rivas**, periodista y escritor. **Jean François Revel**, ensayista. **Paul Rebeyrolles**, pintor. **David Rieff**, escritor. **Pierre Rigoulot**, escritor. **Nelson Rivera**, editor literario. **Arturo Rodríguez Fernández**, crítico de cine. **Richard Roud**, cineasta y ensayista. **Isabella Rossellini**, actriz. **Claude Roy**, escritor. **Javier Rubio de Ventós**, escritor. **Fernando Savater**, escritor. **Ernesto Sábato**, escritor. **Carlos Semprún**, escritor. **Suzanne Schiffman**, cineasta. **Barbet Schroeder**, director de cine. **Claude Simon**, premio Nobel de Literatura. **Philippe Sollers**, crítico. **Susan Sontag**, escritora, periodista PEN Club. **Lyubo Sirk**, escritor y profesor. **René Tavernier**, ensayista, presidente PEN Club Francia. **Pavel Tigrid**, académico. **Paule Thevenin**, escritora. **Oliver Todd**, periodista. **Alain Touraine**, escritor. **Fernando Trueba**, director de cine. **Javier Tusell**, escritor. **José Miguel Ullán**, poeta. **José Ángel Valente**, poeta. **Mario Vargas Llosa**, escritor. **Jeanine Verdès-Leroux**, escritora. **Chuck Workman**, cineasta, premio de la Academia. **I. Yannakakis**, historiador. **Peng Yeo**, escritor PEN Club República Popular China. **Michel Zimbacca**, cineasta. **Gabriel Zaid**, escritor. *FIRMANTES CUBANOS:* **Roberto Agramonte**, diplomático. **Iván Acosta**, dramaturgo. **Fernando Álvarez Pérez**, médico. **Alberto Aragón**, publicista. **Juan Arcocha**, escritor. **Reinaldo Arenas**, escritor. **Octavio Armand**, poeta. **Anita Arroyo**, escritora. **Gastón Baquero**, poeta y escritor. **María Badías**, pintora. **Vicente Báez**, editor. **Víctor Batista**, editor. **Mario Bauzá**, músico. **Waldo Balart**, pintor. **Antonio Benítez Rojo**, escritor. **Cundo Bermúdez**, pintor. **Orlando Blanco**, contador público, ex diplomático. **Ricardo Bofill**, activista Derechos Humanos. **Reinaldo Bragado**, activista Derechos Humanos. **Lydia Cabrera**, escritora etnóloga. **Guillermo Cabrera Infante**, escritor. **Frank Calzón**, activista Derechos Humanos. **Jorge Camacho**, pintor. **Lázaro Carriles**, fotógrafo escritor. **Carlos Castañeda**, periodista editor *Nuevo Día*. **Humberto Castelló**, periodista. **Siro del Castillo**, activista Derechos Humanos. **Natalia Chediak**, cineasta. **Samuel Chavarría**, crítico de arte. **Raúl Chibás**, educador, ex comandante ejército rebelde. **Miguel Correa**, escritor. **Celia Cruz**, cantante. **José Manuel Cubas**, publicista. **Guy Cuevas**, artista. **Belkis Cuza Malé**, escritora. **Paquito d'Rivera**, músico. **Hilda Estevo**, profesora historiadora. **Roberto Estopiñán**, escultor. **Daisy Expósito**, publicista. **J. L. Fajardo Trabanco**, pianista. **Hilda Felipe**, activista Derechos Humanos. **Joaquín Ferrer**, pintor. **Roberto Fandiño**, director de cine. **Eugenio Florit**, poeta. **Leopoldo Fornés**, historiador. **Carlos Franqui**, escritor, ex director periódico *Revolución*. **Marta Fraide**, médico, ex representante de Cuba en la UNESCO. **Elena Fuentes**, profesora de arte. **Natividad González Freire**, crítico. **Emilio Guedes**, cineasta. **José Guerra Alemán**, escritor. **Ariel Gutiérrez**, arquitecto. **Eloy Gutiérrez Menoyo**, ex comandante de la Revolución. **Horacio Gutiérrez**, pianista. **Yvette Hernández**, pianista. **Rosario Hiriart**, escritora. **Orlando Jiménez Leal**, cineasta. **René Jordán**, crítico de cine. **Tirso de Junco**, médico. **Enrique Labrador Ruiz**, novelista. **César Leante**, escritor. **Carlos López Lay**, abogado. **Alfredo Lozano**, escultor. **Leví Marrero**, historiador. **Pedro Machado de Castro**, musicólogo. **Pascual Masó**, escritor. **José M. Mijares**, pintor. **Marcelino Miyares**, productor de televisión. **Marco Miranda**, escritor radial. **Carlos Alberto Montaner**, periodista escritor. **Chico O'Farril**, compositor. **Julián Orbón**, compositor. **Heberto Padilla**, poeta. **Eduardo Palmer**, abogado. **Felipe Pazos**, economista. **Hilda Perera**, novelista. **Carlos Quintela**, periodista. **Daniel Ponce**, percusionista. **Manuel Ray**, ingeniero. **Andrés Reynaldo**, escritor poeta. **Miguel Sales**, poeta. **Octavio Roca**, periodista. **Norma Rojas**, socióloga. **Mary Rodríguez Ichaso**, periodista. **Justo Rodríguez Santos**, poeta. **Baruj Salinas**, pintor. **Pío E. Serrano**, poeta. **María Sifontes Vázquez**, contador público. **Ismael Suárez de la Paz**, combatiente revolucionario. **Ramón F. Suárez**, cinematografista. **Enrique Tramonoi**, pintor. **José Triana**, dramaturgo. **Enrique Trueba**, empresario. **Jorge Ulla**, cineasta. **Roberto Valero**, poeta. **Armando Valladares**, activista Derechos Humanos. **Mario Villar Roces**, abogado escritor.

EL PAÍS, jueves 29 de diciembre de 1988

MADRID

El Tiempo – Bogotá 28/12/89

OPINION

España.

Intelectuales y artistas de todo el mundo piden a Castro un referéndum

Los cubanos se pronunciarían sobre la continuidad del régimen

Madrid. **S. I.**

Más de un centenar de escritores, artistas, científicos, profesores y universitarios de Europa, Estados Unidos e Iberoamérica, entre ellos varios premios Nobel, han dirigido una carta abierta a Fidel Castro pidiéndole la celebración de un plebiscito para que el pueblo pueda decidir libremente la continuidad del líder cubano al frente del país, tras casi treinta años de Poder absoluto en los que no han sido convocadas elecciones libres.

Entre los firmantes de este documento figuran Federico Fellini, Camilo José Cela, Yves Montand, José Luis Aranguren, Jean Daniel, Fernando Savater, Claude Simon, José Ángel Valente, Octavio Paz, Saúl Bellow, Pureza Canelo, Fernando Arrabal, Susan Sontang, Ernesto Sábato, Eugen Ionesco, Mario Vargas Llosa, Jean-François Revel, Juan Goytisolo, Pere Gimferrer, Gerard Depardieu, Fernando Claudín, Jacques Lebas, Félix Grande, Philippe Sollers, José Ferrater Mora, André Lwoff, André Gluscksman, Manuel Puig, Sofía Imbert, José Miguel Ullán, Jaime Gil de Biedma, Pierre Vidal-Naquet, Pierre Daix, Xavier Domingo, L. Kolakowski, Isabella Rossellini, Jack Nicholson, Jean Lacouture, Claude Roy, Javier Rubert de Ventos, Carlos Semprún, Alain Tourain, etcétera.

También firman esta carta abierta medio centenar de personalidades cubanas, entre ellas Néstor Almendros, Juan Arcocha, Gastón Baquero, Ricardo Bofill, Lidia Cabrera, Guillermo Cabrera Infante, Frank Calzón, Carlos Castañera, Miguel Sales, Siro del Castillo, Belkis Cuza Mele, Paquito de Rivera, Hilda Felipe, Roberto Fandino, Carlos Franqui, Eloy Gutiérrez Menoyo, Rosario Hiriart, Enrique Labrador, César Leante, Pedro Machado de Castro, Marcelino Miyares, Carlos Alberto Montaner, Herberto Padilla, Felipe Pazos, Hilda Perera, Manuel Ray, Pio Serrano, Ramón F. Suarez, Jose Triana, Enrique Trueba, Armando Valladares, Mario Villar Roces, etcétera, Reynaldo Arenas. Jorge Camacho y la doctora Marta Frayde coordinaron este documento, que constituye, sin duda, uno de los testimonios de solidaridad con el pueblo cubano de mayor significación en los últimos treinta años.

En la misiva se recuerda que el 1 de enero de 1989 se cumplen treinta años de la llegada al Poder de Fidel Castro, sin que desde entonces se hayan efectuado elecciones para determinar si el pueblo cubano desea que siga o no ejerciendo los cargos de presidente de la República, presidente del Consejo de Ministros, presidente del Consejo de Estado y comandante en jefe de las Fuerzas Armadas.

Tras recordar el ejemplo de Chile, «donde el pueblo, luego de quince años de dictadura, ha podido manifestar su opinión libremente sobre el destino político de su país», se solicita a Castro la celebración de un plebiscito mediante «voto libre y secreto» para que el pueblo cubano exprese su conformidad o rechazo a su permanencia en el Poder.

Los firmantes consideran que para que este plebiscito sea imparcial es imprescindible que los exiliados puedan regresar a Cuba y hacer campaña a través de los medios de comunicación, que sean liberados todos los presos políticos, que se legalicen los Comités de Derechos Humanos en la isla y que se cree un Comité Internacional neutral para supervisar el plebiscito. «Si triunfara el "no" —concluye la carta abierta—, usted, señor presidente, debe dar paso a un proceso de apertura democrática y a la mayor brevedad posible convocar elecciones para que el pueblo cubano pueda elegir libremente a sus gobernantes.»

ABC. Madrid, España, diciembre 26 de 1988.

Nueva York. Diciembre 27 de 1988.

News Day.

La noticia del plebiscito en el periódico lumínico de Nueva York, situado en Times Square.

Argentina

Buenos Aires.

Argentina.

LA NACION

Martes 27 de diciembre de 1988

Piden un plebiscito sobre la continuidad de Fidel Castro

MADRID, 27 (Reuter). - Más de 100 intelectuales y artistas exhortaron hoy al presidente Fidel Castro a que siga el ejemplo de Chile y permita que los cubanos decidan en un plebiscito si quieren que permanezca en el poder.

Dijeron que debería convocar a elecciones si los cubanos votan por el «no» en los comicios supervisados internacionalmente.

"Después del ejemplo de Chile donde el pueblo, luego de 15 años de dictadura, ha podido manifestar su opinión libremente sobre el destino político del país, nos dirigimos a usted para pedirle que en Cuba se efectúe un plebiscito donde el pueblo con un «sí» o con un «no» pueda decidir, mediante un voto libre y secreto, su conformidad o rechazo a que usted continúe en el poder", dice la petición.

"Si triunfara el «no» -señor presidente-, debe dar paso a un proceso de apertura democrática y a la mayor brevedad posible convocar a elecciones para que el pueblo cubano pueda elegir libremente a sus gobernantes", continúa.

El 1° de enero Castro celebrará su trigésimo aniversario en el poder.

Los signatarios, que incluyen al director de cine Federico Fellini, los escritores Saul Bellow, Ernesto Sabato, Mario Vargas Llosa, los actores Yves Montand y Jack Nicholson, y medio centenar de personalidades cubanas en el exilio, solicitan la liberación de los prisioneros políticos y que se permita el regreso de los exiliados para participar en la campaña electoral.

El presidente chileno Augusto Pinochet fue derrotado en octubre en un referendum en el que se decidió poner fin a su régimen en 1989, conforme con la Constitución de 1980.

COLOMBIA

30 años de la revolución

Plebiscito en Cuba piden intelectuales

ALFREDO GOMEZ
MADRID (AP)

Más de un centenar de artistas y escritores de Europa, Estados Unidos y Latinoamérica han dirigido una carta abierta a Fidel Castro instándole a realizar en Cuba un plebiscito sobre su permanencia en el poder, informó hoy la doctora cubana exiliada Marta Frayde, integrante del comité que promovió la carta.

La carta, fechada en París, está patrocinada por el denominado Comité de la Carta de los Cien, con sede en Nueva York.

La misiva recuerda que el 1° de enero de 1989 se cumplirán 30 años de la llegada al poder de Fidel Castro y afirma que desde entonces no se han efectuado elecciones para determinar si el pueblo cubano desea que siga o no en el poder. "Después del ejemplo de Chile, donde el pueblo —luego de quince años de dictadura— ha podido manifestar su opinión libremente sobre el destino político del país, nos dirigimos a usted para pedirle que en Cuba se efectúe un plebiscito en el que el pueblo, con un sí o un no, pueda decidir, mediante voto libre y secreto, su conformidad o rechazo a que usted continúe en el poder", dice el texto.

Entre los firmantes figuran Federico Fellini, Camilo José Cela, Juan Goytisolo, Yves Montand, los premios Nobel de medicina André Lwoff y Jean Dausset, de literatura Saul Bellow y Claude Simon, los escritores latinoamericanos Octavio Paz, Ernesto Sábato y Mario

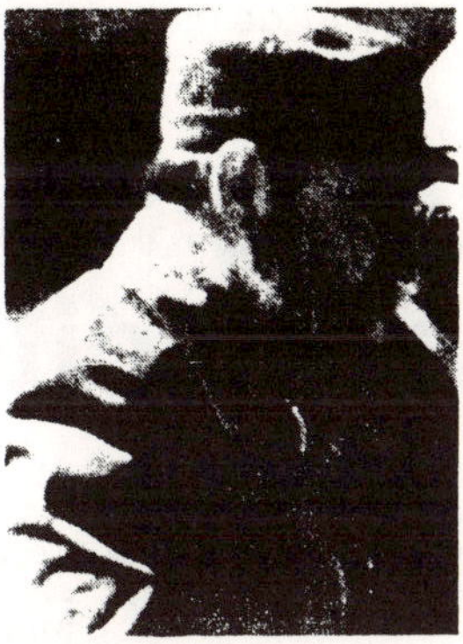

Fidel Castro

Vargas Llosa, y otras personalidades, según Frayde

Otras firmas

Asimismo firman la carta medio centenar de personalidades cubanas en el exilio, entre ellos Eloy Gutiérrez Menoyo, ex comandante de la revolución cuaban, y Armando Valladares, poeta y activista de los derechos humanos.

Los firmantes consideran que para que el plebiscito sea imparcial es imprescindible que los exiliados puedan regresar a Cuba y hacer campaña en los medios de comunicación, que sean liberados todos los presos políticos, que se legalicen los comités de Derechos Humanos en la isla y que se cree un comité internacional neutral para supervisar el plebiscito.

La doctora Frayde, ex embajadora de Cuba ante la Unesco, que vive desde hace nueve años en Madrid y es vicepresidenta del comité Pro Derechos Humanos en Cuba presidido por Ricardo Bofill, dijo que los promotores de esta idea han sido el escritor cubano Reinaldo Arenas, que reside en Nueva York, y su compatriota el pintor Jorge Camacho, que vive en París.

ECUADOR

Ecuador, Martes 27 de diciembre de 1988 hoy

Intelectuales del mundo piden plebiscito en Cuba

MADRID, 27.- Más de 100 intelectuales y artistas exhortaron hoy (martes) al presidente Fidel Castro a que siga el ejemplo de Chile y permita que los cubanos decidan en un plebiscito si quieren que permanezca en el poder.

Dijeron que debería convocar a elecciones si los cubanos votan por el "no" en un comicio supervisado internacionalmente.

Fidel Castro visto por Lurie.

"Después del ejemplo de Chile donde el pueblo, luego de 15 años de dictadura, ha podido manifestar su opinión libremente sobre el destino político del país, nos dirigimos a usted para pedirle que en Cuba se efectúe un plebiscito donde el pueblo con un 'sí' o con un 'no' pueda decidir, mediante un voto libre y secreto, su conformidad o rechazo a que usted continúe en el poder", dice la petición.

"Si triunfara el 'no', señor presidente, debe dar paso a un proceso de apertura democrática y a la mayor brevedad posible convocar a elecciones para que el pueblo cubano pueda elegir libremente a sus gobernantes", continúa.

En la misiva se recuerda que el próximo día 1 de enero se cumplen treinta año de la llegada al poder de Fidel Castro sin que desde entonces se hayan efectuado elecciones para determinar si el pueblo cubano desea o no que siga ejerciendo los cargos de presidente del consejo de ministros, presidente del consejo de estado, y comandante en jefe de las fuerzas armadas.

Entre los firmantes de esta carta abierta a Fidel Castro, destacan entre otros el cineasta italiano Federico Fellini, el escritor español Camilo José Cela, el actor francés Yves Montand, el filósofo español José Luis Aranguren, el escritor argentino Ernesto Sábato, el autor estadounidense Saul Bellow, el peruano Mario Vargas Llosa, el actor Jack Nicholson, hasta componer un total de cien personalidades de diversos campos de las letras y las ciencias. (REUTER, AFP)

New York.

EL UNIVERSO
Miércoles 28 de Diciembre de 1988 — Primera Sección 5

Intelectuales del mundo piden a Castro convocar a plebiscito

PARIS, (AFP).— Cerca de 200 intelectuales, científicos y artistas latinoamericanos y europeos remitieron una carta abierta al Presidente Fidel Castro, pidiéndole que "después del ejemplo de Chile", convoque a un plebiscito para que el pueblo cubano decida si debe continuar o no en el poder, se anunció en París.

Entre los 175 firmantes figuran dos ganadores del Premio Nobel de Medicina, Jean Dausset y André Lwolff, así como Saul Bellow y Claudd Simon, ganadores del Premio Nobel de Literatura.

"Después del ejemplo de Chile, donde el pueblo, luego de 15 años de dictadura, ha podido manifestar su opinión libremente sobre el destino político del país, nos dirigimos a usted para pedirle que en Cuba se efectúe un plebiscito en el que el pueblo, con un Sí o un No pueda decidir, mediante voto libre y secreto, su conformidad o rechazo a que usted continúe en el poder".

El 5 de octubre pasado, los chilenos votaron por la negativa a las ambiciones del actual presidente Augusto Pinochet de seguir en el poder hasta 1997.

"De triunfar el no —continuó la carta— usted, señor Presidente, debe dar paso a un proceso de apertura democrática y a la mayor brevedad posible, convocar elecciones para que el pueblo cubano pueda elegir libremente a sus gobernantes".

Castro 30 años en el poder

Los firmantes recordaron que el 1 de enero de 1989 se cumplen 30 años de la instalación de Castro en el poder, quien ejerce actualmente los cargos de Presidente de la República, Presidente del Consejo de Ministros, Presidente del Consejo de Estado y Comandante en jefe de las Fuerzas Armadas.

Federico Fellini, Octavio Paz, Yves Montand, Susan Sontang, Eugene Ionesco, Ernesto Sábato, Isabella Rosellini, Fernando Arrabal, Lydia Cabrera, Jacques Derrida, Lucio Colleti, Bernard Henry Levy, Maurice Planchot, Robert Benton, Manuel Puig, Guillermo Cabrera-Infante, Héctor Babenco, Camilo José Cela, Juan Goytisolo, Corbi Bernsen, Plinio Apuleyo Mendoza, Néstor Almendros, Gerard Depardieu y Mario Vargas Llosa, son algunos de los firmantes de la carta abierta.

El documento pidió que se cree un comité internacional neutral para supervisar el plebiscito; libertad de todos los presos políticos y suspensión de las leyes que impiden el libre ejercicio de la opinión pública; regreso de los exiliados a Cuba y autorización para que puedan hacer campaña; y, finalmente, legalización de los comités de derechos humanos dentro de Cuba.

La Habana ridiculiza

LA HABANA, (AFP).— El plebiscito en Cuba, sugerido en París por 200 intelectuales anticastristas de Europa y América Latina, fue ridiculizado en La Habana por un alto funcionario de la Cancillería cubana.

"Ese plebiscito ya lo hicimos hace 30 años", respondió el Director de Información del Ministerio de Relaciones Exteriores, López del Amo, a periodistas que lo interrogaron.

"Desde entonces lo venimos ratificando diariamente con nuestra lucha", agregó.

La declaración de los intelectuales, científicos y artistas anticastristas sugirió que "después del ejemplo de Chile" se realice una consulta popular sobre la continuación del Gobierno de Cuba.

"Pretender establecer una analogía entre el régimen de Pinochet y la Revolución cubana es absurdo", comentó al respecto López del Amo.

Italia.

ANNO 113 - N. 285 - L. 1.000 (Arretrato L. 2.000)

CORRIERE DELLA SERA

MARTEDÌ 27 DICEMBRE 1988 - L. 1.000

Cento intellettuali chiedono un referendum al dittatore cubano

Signor Castro, prenda esempio dal Cile

Cento intellettuali di tutto il mondo pubblicano oggi a proprie spese sul «New York Times» una lettera aperta al leader cubano, in occasione del trentesimo anniversario del suo avvento al potere. Questo è il testo dell'appello.

Signor Fidel Castro Ruz
presidente della
Repubblica di Cuba

Il primo gennaio 1989 si compiono trent'anni da che Lei è ininterrottamente al potere senza che siano state celebrate fin qui elezioni che indichino se il popolo cubano vuole o no che Lei continui a ricoprire le cariche di presidente della Repubblica, presidente del Consiglio dei Ministri, presidente del Consiglio di Stato e comandante in capo delle Forze Armate.

Seguendo l'esempio del Cile, dove il popolo, dopo quindici anni di dittatura, ha potuto manifestare liberamente la sua opinione circa il destino politico del Paese, noi ci rivolgiamo a Lei per chiederle che a Cuba si effettui un plebiscito nel quale il popolo, con un sì o con un no, possa decidere, con voto libero e segreto, se approvare o rifiutare la sua permanenza al potere.

Perché questo plebiscito si realizzi in modo imparziale è necessario che vengano osservate le seguenti condizioni:

1. che gli esuli e gli esiliati possano ritornare a Cuba e che, insieme con altri settori dell'opposizione, possano svolgere una regolare campagna elettorale utilizzando tutti i mezzi di comunicazione (stampa, radio, televisione, ecc.);

2. che siano messi in libertà tutti i prigionieri politici e siano sospese le leggi che impediscono il libero esercizio dell'opinione pubblica;

3. che siano legalizzati i comitati pro diritti umani che esistano all'interno di Cuba;

4. che si formi un comitato internazionale neutrale destinato ad esercitare un controllo e una supervisione dello svolgimento del plebiscito.

Nel caso vincessero i no, Lei, signor Presidente, dovrà impegnarsi a dar luogo a una fase di apertura democratica e convocare, nel più breve tempo possibile, elezioni che permettano al popolo cubano di scegliere liberamente i suoi governanti.

Saul Bellow, Jean Dausset, André Lwoff, Mario Vargas Llosa, Federico Fellini, Jack Nicholson, Yves Montand, Nestor Almendros, Eugenio Ionesco, Octavio Paz, Ernesto Sabato, Camilo José Cela, Juan Goytisolo, Guillermo Cabrera Infante, Manuel Puig, Reinaldo Arenas, Carlos Castaneda, Jean Daniel, Jean-François Revel, Bernard-Henri Levy, Philippe Sollers, René Tavernier, Hector Babenco, Senso Sontag, Lucio Colletti, Lezlek Kolukowsky, Robert Benton, Isabella Rossellini, Valerio Riva, Paquito D'Rivera, Chico O'Farrell, Carlos Franzetti, Carlos Franqui, Heberto Padilla, Peng Yao, I. Yannakakis, Claude Roy, Barbet Schroeder, Babel Tigrid ed altri.

Italia, diciembre 27 de 1988.

Colombia.

AÑO 78 No. 27.133 · 30 PAGINAS · 3 SECCIONES BOGOTA COLOMBIA 27 D

Más de 100 intelectuales de todo el mundo

Someterse a plebiscito le piden a Fidel Castro

Al cumplir 30 años la revolución cubana, los actores Yves Montand y Jack Nicholson, los escritores Susan Sontag y Octavio Paz, el director de cine Federico Fellini, y el premio Nobel de literatura Saul Bellow, entre otros, piden a Castro demostrar su respaldo popular tal y como lo hizo Pinochet en Chile.

Más de 100 intelectuales, científicos y artistas del mundo pidieron a Fidel Castro, al cumplir 30 años en el gobierno, que convoque un plebiscito similar al que en octubre se realizó en Chile "para que el pueblo cubano exprese su conformidad o rechazo a su permanencia en el poder".

La petición estipula que de triunfar el "No", Castro debe dar paso de inmediato a una amplia apertura democrática, que incluya la realización de elecciones "para que el pueblo cubano pueda elegir libremente a sus gobernantes".

La exhortación a Castro está consignada en una carta abierta que le enviaron desde París los prominentes firmantes, encabezados por ganadores del Premio Nobel de Medicina, Jean Dusset y André Lwolff; así como Saúl Bellow y Claude Simón, premios Nobel de Literatura.

La misiva también fue suscrita por conocidos intelectuales latinoamericanos como Octavio Paz, Mario Vargas Llosa, Ernesto Sábato, Manuel Puig

El tiempo, Colombia, Bogotá, 27 de diciembre de 1988.

México.

30-A EXCELSIOR Martes 27 de Diciembre de 1988

Octavio Paz Firma la Carta Abierta

Piden Intelectuales a Castro un Plebiscito Sobre su Mandato

Más de cien intelectuales, científicos y artistas, firmaron y enviaron desde París una "carta abierta" al Presidente Fidel Castro, exhortándolo a celebrar un plebiscito —semejante al realizado en Chile en octubre—, "para que el pueblo de Cuba exprese su conformidad o rechazo a su permanencia en el poder".

Los firmantes —entre los que destacan dos ganadores del Premio Nobel de Medicina, Jean Dausset y André Lwolff; así como el Premio Nobel de Literatura, Saul Bellow—, piden al líder cubano, quien cumple ya 30 años en el poder, apertura democrática:

"De triunfar el no, señor Presidente, usted debe dar paso a un proceso de apertura democrática, y a la mayor brevedad posible convocar elecciones para que el pueblo cubano pueda elegir libremente a sus gobernantes."

México

18 • martes 27 de diciembre de 1988

unomásuno

Reto a Fidel Castro

Está más clara que el agua la intención de los escritores y artistas que le piden a Fidel Castro la realización de un plebiscito sobre su permanencia en el poder. Pretenden provocar una respuesta negativa del líder cubano a fin de confrontarlo con la opinión pública internacional y hasta con la nueva corriente ideológica marxista, derivada de la *perestroika* de Mijail Gorbachov, que en grados diversos despierta el entusiasmo en el movimiento comunista mundial.

Entre el centenar de firmantes de esta misiva abierta, muy pocos deben creer que Castro, en un gesto de audacia tan frecuente en él, accederá a realizar una consulta popular con "voto libre y secreto", bajo la supervisión de un comité internacional neutral y sometido a las demás condiciones que se enumeran en la explosiva carta. En tal hipótesis debe darse por seguro que el plebiscito arrojaría un voto mayoritario y masivo en favor de la permanencia del líder cubano en todas las instancias de poder que tiene en sus manos. Fidel castro sigue siendo un ídolo popular por los prestigios legendarios ganados, aunque no en la medida de antes, ni con la incondicionalidad de otros tiempos.

Cierto es que la imagen de Castro se ha deteriorado considerablemente ante el movimiento marxista mundial, primero por su aversión a lo que constituye la esencia de la *perestroika* soviética, es decir la democratización del régimen socialista, y luego por su presencia en México durante la toma de posesión del presidente Salinas de Gortari, lo que disgustó a la izquierda mexicana, y por todo lo que dejó traslucir durante su entrevisa con destacados empresarios mexicanos, a los que invitó a canalizar inversiones hacia Cuba. Pero de ahí a que haya perdido gran parte de su antigua popularidad media un abismo. Entre Fidel o cualquier otro líder cubano, que no se ve por ninguna parte, el pueblo se pronunciaría probablemente por la continuación de Castro en los poderes supremos, pues tal opción es la que se plantearía en el plebiscito.

Entre los que firman la carta abierta hay varios neoliberales, derechistras confesos y algunos que, de tener ocasión, se pronunciarían por la vigencia de una régimen fascista a escala mundial. Aun así, las muchas personalidades de gran prestigio mundial en las esferas de la literatura, la medicina; el teatro, el cine y las artes, firmantes de la petición, aportan a ésta la inegable brillantez de sus nombres, asociados esta vez al deseo de ver el florecimiento de una democracia socialista en el primer país de América Latina que fue llevado al socialismo.

64
PAGINAS
Cuatro Cuerpos

EL UNIVERSAL

CARACAS, MARTES 27 DE DICIEMBRE DE 1983 – AÑO LXXX – Nº 28.564

Carta Abierta a Castro

Intelectuales, científicos y artistas del mundo firman una carta abierta, dirigida al Presidente de Cuba, Fidel Castro. Su contenido lo reproducimos en nuestras páginas, así como las firmas que la respaldan

Más de cien intelectuales, científicos y artistas de la comunidad internacional han firmado una "Carta Abierta" enviada desde París al presidente Fidel Castro exhortándolo a celebrar un plebiscito, semejante al realizado en Chile en octubre, "para que el pueblo de Cuba exprese su conformidad o rechazo a su permanencia en el poder".

"De triunfar el no señor Presidente, usted debe dar paso a un proceso de apertura democrática y a la mayor brevedad posible convocar elecciones para que el pueblo cubano pueda elegir libremente a sus gobernantes", le dicen al presidente Fidel Castro los prominentes firmantes, entre los que figuran dos ganadores del Premio Nóbel de Medicina, Jean Dausset y André Lwolff, así como Saúl Bellow y Claude Simon, ganadores del Premio Nóbel de Literatura.

-derico Fellini, Octavio Paz, Yves Montand, Susan Son- Eugene Ionesco, Ernesto Sábato, Isabella Rossellini, -ando Arrabal, Lydia Cabrera, Jacques Derridá, Lucio -tti, Bernard Henri Levy, Maurice Planchot, Robert -ton, Manuel Puig, Guillermo Cabrera Infante, Héctor -enco, Camilo José Cela, Juan Goytisolo, Corbin Bern- Plinio Apuleyo Mendoza, Néstor Almendros, Gerard -ardieu, Jack Nicholson y Mario Vargas Llosa, son algu- de los más notables firmantes de la "Carta Abierta".

-reclamar la celebración de un plebiscito, los firman- de la "Carta Abierta" solicitan cuatro puntos que ga- -cen la imparcialidad de la consulta:

Que se cree un comité internacional neutral para su- -visar el plebiscito.

Que sean puestos en libertad todos los presos políti- y que se suspendan las leyes que impiden el libre -cicio de la opinión pública.

Que los exiliados puedan regresar a Cuba y que, jun- otros sectores de la oposición, se les permita hacer -paña en todos los medios de comunicación.

Que se legalicen los comités de derechos humanos -tro de Cuba.

- triunfo revolucionario de Fidel Castro se produjo en -ro de 1959, tras la caída del dictador Fulgencio Batista -stro prometió entonces que se celebrarían elecciones -nocráticas, pero con la posterior instauración de un ré- -en marxista-leninista, quedaron abolidos, entre otros, -erecho de asociación política.

-del Castro ejerce los cargos de Presidente de la Repú- presidente del Consejo de Ministros, presidente del -sejo de Estado y comandante en jefe de las Fuerzas -adas.

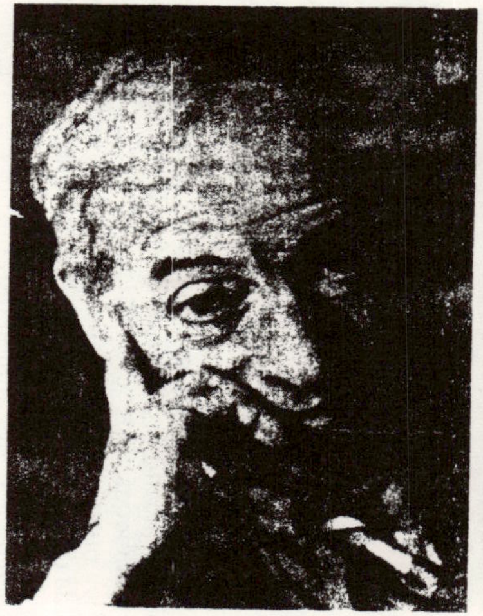

Saul Bellow y Octavio Paz suscriben el comunicado

TUESDAY, DECEMBER 27, 1988 WASHINGTON, D.C.

the Washington times

World figures challenge Castro to hold election

By Peter LaBarbera
THE WASHINGTON TIMES

More than 100 of the world's leading intellectuals, scientists and artists signed an open letter to Cuban dictator Fidel Castro urging him — on the 30th anniversary of his rise to power — to hold free elections.

The letter — written in Paris and set for public release today — is signed by four Nobel laureates, well-known film personalities, a cross-section of internationally acclaimed authors and prominent Cuban exiles.

Several of the Cuban expatriates were once close Castro allies before being jailed and denounced by the Marxist leader.

"On January 1, 1989," the letter said, "you will have been in power for thirty years without having, so far, celebrated elections to determine if the Cuban people do wish you to continue as President of the Republic, President of the Council of Ministers, President of the Council of State and Commander-in-Chief of the Armed Forces.

"Following the recent example of Chile, where after fifteen years of dictatorship, the people were able to express their view freely on the country's political future, we address you in order to request for Cuba a plebiscite in which the people, through free and secret ballot, can assert with a simple 'yes' or 'no' their agreement or rejection to your staying in power."

"... a plebiscite in which the people, through free and secret ballot, can assert with a simple 'yes' or 'no' their agreement or rejection to your staying in power."

The letter is to be hand-delivered today to the Cuban ambassador in Paris. It will be advertised in several major newspapers around the globe, including The New York Times.

Among the American signers of the letter are Nobel Prize-winning novelist Saul Bellow, Academy Award-winning actor Jack Nicholson, "L.A. Law" television star Corbin Bernsen and New York writer Susan Sontag.

In addition to Mr. Bellow, French Nobel laureates Claude Simon (literature) and Jean Dausset and Andre Lwoff (medicine) signed the open letter.

Other international signers include Italian film director Federico Fellini, Mexican writer Octavio Paz, Argentinian author Manuel Puig, French playwright Eugene Ionesco, Peruvian writer-politician Mario Vargas Llosa and French actors Gerard Depardieu and Yves Montand.

Cuban signers include writer Guillermo Cabrera-Infante, singer Celia Cruz, jazz musicians Paquito D'Rivera and Daniel Ponce and human rights activist/author Armando Valladares.

There are even several signers from communist nations — Soviet author Vladimir Maximov, Yugoslav writer Leo Petrovic, Czechoslovakian "academician" Babel Tigrid, Polish historian I. Yannakakis and Chinese writer Peng Yao.

The letter has been signed by left-leaning intellectuals such as Mr. Paz, whose names would not have been found on such a document critical of Mr. Castro 20, or even 10, years ago, said exiled Cuban writer Reinaldo Arenas.

Mr. Arenas, who for years faced censorship, forced labor and torture in Cuban prisons before fleeing in the 1980 Mariel exodus, helped write the letter to Mr. Castro and contacted associates for signatures.

"Twenty years ago, many intellectuals — especially writers — believed that Castro's Cuba was home for the future," he said in a telephone interview from New York.

"But after 30 years of dictatorship, with 10 percent [1 million] of the Cuban population living outside Cuba, with Castro's troops in Africa and people in Cuba going hungry, the situation is so horrible that at this moment almost no intellectual believes Cuba is the solution for problems in Latin America and the Third World," Mr. Arenas said.

Cuban painter Jorge Camacho led efforts in Paris to get signatures. There has been a decided turn in the French intellectual community against Mr. Castro since 1980, and numerous individuals who once defended the Cuban leader, such as Mr. Montand and Mr. Ionesco, signed the appeal.

"It's time . . . for everybody in the world to have the opportunity to live in freedom," said Mr. Bernsen of "L.A. Law," who said he is fascinated by the "psychotic" mind of dictators such as Mr. Castro and Adolf Hitler.

"Castro should at least give the Cuban people freedom of choice," he said in an interview.

Mr. Castro enjoys the distinction of having his reign surpassed in duration only by North Korea's communist leader, Kim Il Sung, who took power in 1953, and Paraguay's strongman, Gen. Alfredo Stroessner, who took power one year later, said exiled Cuban filmmaker Orlando Jimenez Leal, another letter signer, in an interview last week.

The letter stated four conditions to guarantee the impartiality of the plebiscite:

- That all exiles be allowed to re-

(SEE Next PAGE)

U.S.A.

OPEN LETTER TO FIDEL CASTRO AND SOME OF ITS SIGNERS

More than 100 prominent artists, scientists and intellectuals worldwide signed this letter made public today.

Paquito D'Rivera, Cuban musician

Saul Bellow, American author

Frederico Fellini, Italian film director

Armando Valladores, exiled Cuban author

Jack Nicholson, American actor

Susan Sontag, American author

Mr. Fidel Castro
President of the Republic of Cuba

On January 1, 1989 you will have been in power for thirty years without having, so far, celebrated elections to determine if the Cuban people do wish you to continue as President of the Republic, President of the Council of Ministers, President of the Council of State and Commander-in-Chief of the Armed Forces.

Following the recent example of Chile, where after fifteen years of dictatorship, the people were able to express their view freely on their country's political future, we request by this letter a plebiscite so that Cubans, by free and secret ballot, could assert simply with a yes or a no their agreement or rejection to your staying in power.

In order to guarantee the impartiality of this plebiscite, it is essential that the following conditions be met:

1. The naming of a neutral international commission to oversee the plebiscite.
2. The freeing of all political prisoners and the suspension of laws that curtail the free expression of public opinion.
3. That all exiles be allowed to return to Cuba and, together with other sectors of the opposition, permitted to campaign using all means of communication (press, radio, television etc.).
4. The legalization of human rights committees within Cuba.

Should the no prevail, it would be incumbent upon you to respect the will of the majority by giving way to a period of democratic openness and promptly calling an election where the Cuban people could freely elect its leaders.

The Washington times.
DEC. 27 / 1988

turn to Cuba and, together with "other sectors of the opposition," be permitted t[o] campaign using all means of p[ublic] communication.

• That M[r. Ca]stro's regime free all political pris[one]rs and suspend laws curtailing free [e]xpression of public opinion.

• That Mr. Castro legalize independent human rights committees in Cuba.

• That the regime name a neutral international commission to oversee the election.

The letter concludes: "Should the 'no' prevail, it would be incumbent upon you to respect the will of the majority by giving way to a period of democratic openness and promptly calling an election where the Cuban people could freely elect its leaders."

Mr. Castro's road to power was paved on Jan. 1, 1959, when the military dictatorship of Fulgencio Batista collapsed. During the rebellion, Mr. Castro, whose 26th of July Movement was one of several factions fighting Batista, had promised free elections to decide who would lead the country.

Once victorious, as Cuba's interim leader, he again pledged to hold elections 18 months after Batista's fall.

In a pattern that has been repeated by almost all communist revolutions, Mr. Castro openly embraced Marxism and soon began purging former allies. He never honored his pledge to hold true elections.

"We asked ourselves, 'If Pinochet can hold a plebiscite in Chile, why can't Castro do the same?' " Mr. Arenas said. "We don't expect Castro to agree with this letter, but we can show people all over the world that he is a worse dictator than Pinochet."

The Chilean people, by a 57-43 percent margin, recently voted "no" to eight more years of rule by Gen. Augusto Pinochet Ugarte — who has ruled Chile since 1973 — in just such a plebiscite.

One of the more unlikely signatories to the open letter is Mr. Petrovic, the Yugoslavian writer. In an endorsement, he wrote: "An old saying once put it that 'No man is so good that he should rule, staying in power over me, without my consent' . . . I sincerely hope that you will bring Senor Castro to the simple insight that he is only a man and that the time for dictators is not our time."

The Washington times. DEC 27 / 88

Le Monde

DERNIÈRE ÉDITION

Hubert Beuve-Méry Directeur : André Fontaine – MERCREDI 28 DÉCEMBRE 1988

Amériques

CUBA

Un appel de personnalités pour l'organisation d'un plébiscite

Une centaine d'artistes et intellectuels du monde entier ont signé une lettre ouverte à Fidel Castro, exhortant le chef de l'Etat cubain à imiter l'exemple du général Pinochet, qui avait organisé le 5 octobre dernier au Chili un plébiscite sur son maintien au pouvoir. Le « Lider maximo » fêtera le 1er janvier ses trente ans de présence au pouvoir depuis la victoire, en 1959, de sa guérilla sur le dictateur Batista.

Parmi les signataires de ce texte, qui sera publié dans plusieurs journaux à travers le monde, figurent le chanteur français Yves Montand, le metteur en scène italien Federico Fellini, les Américains Saul Bellow, romancier, et Jack Nicholson, acteur. Selon les auteurs de la lettre, le régime devrait en toute hypothèse consentir au retour des exilés et à la libération des prisonniers politiques ; en cas de victoire des « non » à un éventuel plébiscite, des élections libres devraient être organisées à Cuba. Actuellement, un système de *« pouvoir populaire »*, mis en place en 1975, permet la désignation au suffrage indirect et sous le strict contôle du Parti communiste, de délégués municipaux, régionaux, provinciaux et nationaux.

En une initiative sans précédent, la télévision cubaine a diffusé, le 25 décembre, les discours prononcés à l'ONU par le secrétaire d'Etat américain George Shultz et le ministre des affaires étrangères d'Afrique du Sud « Pik » Botha, à l'occasion de la signature des traités sur le retrait des cinquante mille soldats cubains d'Angola et l'accession de la Namibie à l'indépendance. Ce geste est survenu en réponse à un défi de M. Bush, qui avait souhaité un peu de glasnost à Cuba.

Enfin, la télévision vénézuélienne a annoncé, lundi 26 décembre, que le président Fidel Castro assistera à la cérémonie de prestation de serment de M. Carlos Andres Perez, élu chef de l'Etat le 5 décembre dernier. Après des décennies d'isolement, le « Lider » poursuit ainsi sa politique de réinsertion dans le concert des Etats latino-américains. Il a déjà, en 1988, assisté aux cérémonies d'inauguration des mandats des présidents équatorien Borja et mexicain Salinas.

Ce déplacement à Caracas marquera en outre une reprise des relations entre les deux pays après plus de huit années de « froid » : La Havane reproche au Venezuela de n'avoir pas pris les mesures suffisantes pour châtier les auteurs de l'attentat contre un DC8 de la Cubana de Aviacion qui, en 1976, avait provoqué la mort de soixante-dix-huit personnes au large de la Barbade. – *(Reuter.)*

ESpaña.

Castro rechaza la petición de un plebiscito

EFE / EL PAÍS
La Habana / Madrid

El Gobierno cubano rechazó ayer la petición formulada por más de un centenar de intelectuales de celebrar un referéndum similar al habido en Chile. "El referéndum lo hicimos hace treinta años y lo hemos mantenido día a día con nuestra lucha y nuestro esfuerzo", dijo Rolando López del Amo, director de Prensa y Cultura del Ministerio de Relaciones Exteriores.

Un grupo de escritores, científicos y artistas europeos, latinoamericanos y estadounidenses son los autores del llamamiento al presidente de Cuba, Fidel Castro, para que siguiera el ejemplo chileno y permitiera que los cubanos decidieran libremente en un plebiscito si debía continuar al frente de la nación.

El llamamiento fue recogido ayer mismo en una carta abierta dirigida a Castro, cuyo texto fue redactado por varios cubanos exiliados en España y enviado a las agencias de prensa antes de ser publicada como publicidad en periódicos de varios países.

Entre los firmantes figuran los escritores Octavio Paz, Camilo José Cela, Saúl Bellow, Ernesto Sábato, Juan Goytisolo y Claude Simon; los filósofos José Luis Aranguren, José Ferrater Mora y Bernard-Henri Lévy; el dramaturgo Fernando Arrabal; el Nobel de Medicina André Lwoff; los directores de cine Federico Fellini, Héctor Babenco y Néstor Almendros, y los actores Yves Montand, Jack Nicholson, Isabella Rosellini y Gérard Depardieu.

"Si triunfa el *no*, usted, señor presidente, debe dar paso a un proceso de apertura democrática y, a la mayor brevedad posible, convocar elecciones", afirma el documento rechazado por el Gobierno cubano.

El País, diciembre 28 de 1988. Madrid. España.

España, ABC, diciembre 28, 1988.

Cuba

La Habana rechaza el referéndum «a la chilena» propuesto por más de cien intelectuales

La Habana. Efe, Reuter

El Gobierno de Cuba ha descartado la celebración de un referéndum similar al chileno por estimar que ya se efectuó la consulta hace treinta años, cuando Castro derrocó a Batista. El director de Prensa y Cultura del Ministerio de Exteriores declaró que desconocía el documento suscrito por más de cien intelectuales en el que se pedía tal medida.

Acto seguido, Rolando López del Amo, director de Prensa y Cultura del Ministerio de Relaciones Exteriores, calificó de «absurdo» e «inconcebible» comparar la revolución cubana con el régimen del general Augusto Pinochet. «Pretender establecer un nexo entre la revolución cubana y el régimen fascista de Pinochet es un absurdo; es inconcebible que pueda producirse», subrayó.

«El referéndum lo hicimos hace treinta años y lo hemos mantenido día a día con nuestra lucha y nuestro esfuerzo diario», fueron las palabras de López del Amo durante la ceremonia de inauguración de la sala de Prensa montada en el Hotel Habana Libre para los periodistas que cubrirán el XXX Aniversario de la Revolución cubana. Asimismo, Rolando López del Amo agregó que «la opción de entonces es la de ahora», y sigue vigente «nuestra disposición a dar la vida por ella».

Entre los firmantes del documento ya mencionado figuran escritores, artistas, filósofos, científicos y periodistas de Europa, Estados Unidos e Iberoamérica, entre los que se encuentran los premios Nobel de Literatura Claude Simon y Saul Bellow y los de Medicina Jean Dausset y André Lwoff. Otros son el dramaturgo Fernando Arrabal, el filósofo José Luis Aranguren, los escritores Camilo José Cela, Fernando Claudín y Juan Goytisolo, el director de cine Federico Fellini y el actor Yves Montand.

En el documento, los firmantes se dirigen a Fidel Castro «para pedirle que en Cuba se efectúe un plebiscito, donde el pueblo, con un "sí" o un "no", pueda decidir mediante el voto libre y secreto su conformidad o rechazo a que usted continúe en el poder». Con objeto de que el plebiscito se efectúe de forma imparcial, los firmantes consideran «imprescindible» que los exiliados puedan regresar a Cuba, que se ponga en libertad a todos los presos políticos y que se suspendan las leyes que impiden el libre ejercicio de la opinión pública.

Castrismo

Cuando están a punto de cumplirse los treinta años de dictadura y poder absoluto de Fidel Castro, más de cien intelectuales y artistas de todo el mundo han enviado una carta abierta al dirigente cubano en la que se le pide la celebración de un referéndum para que el pueblo decida la continuidad del régimen. Pero el dictador cubano no parece sentir demasiados deseos de emular a Pinochet. Dentro siempre del autoritarismo, las presiones externas e internas sobre el régimen de Pinochet han logrado abrir un incipiente camino hacia el cambio democrático. En Cuba, el férreo control de los medios de información y la persecución policial de la mínima crítica no han hecho más que aumentar a lo largo de los años. Lejos de cualquier evolución o cambio, el régimen cubano parece enquistarse y endurecerse cada día más sobre la figura de un Castro desafiante incluso a los vientos de reformas que desde la URSS se expanden al mundo comunista.

ABC. pág. 26 DOMINGO 15/ 89

Carta a Castro

Señor director: La reciente publicación por ese diario de la carta abierta a Fidel Castro, avalada por la firma de prestigiosas personalidades cubanas o no cubanas pero sí comprometidas con la lucha por las libertades y, sobre todo, con el respeto por los derechos humanos, me hace dirigirles esta carta para, humildemente, unir mi firma a las ya conocidas.

Creo que todos los cubanos, que por estar fuera de nuestro país tenemos la posibilidad de pronunciarnos, tenemos también el deber de posicionarnos de uno u otro lado, según nuestro criterio. Y porque creo que los cuatro puntos de la carta son fundamentales para iniciar la reconquista de nuestra patria, aquellos que verdaderamente creemos en la libertad debemos apoyarla.

Por ello quisiera desde estas líneas animar a todos a hacer patente su opinión. Unas simples líneas a ABC apoyando la carta o no son suficientes.– **Adrián Gutiérrez.** Las Arenas (Vizcaya)

España.

La carta a Fidel Castro

El día 1 de enero se cumplen treinta años de la revolución cubana. En vísperas de este señalado aniversario más de cien intelectuales de Europa y de América —escritores, filósofos, científicos, cineastas, artistas...— han escrito una carta abierta a Fidel Castro pidiéndole que se comporte al menos como el dictador chileno, Augusto Pinochet, y convoque en Cuba un plebiscito para que el pueblo decida, con las debidas garantías, libremente, sobre la continuidad o no del propio Castro en el poder.

Nadie en sus cabales puede atribuir a este importante manifiesto ocultas y sórdidas maniobras de la CIA o, en general, de inconfesables intereses norteamericanos. La lista de firmantes es concluyente. En ella figuran españoles de una trayectoria tan inequívoca como Aranguren, Cela, Arrabal, Savater, Rubert de Ventós o Fernando Claudín; y figuras de fuera tan relevantes como Federico Fellini, Octavio Paz, Yves Montand, Ionesco, J.-F. Revel, Jean Daniel o Ernesto Sábato.

Lo que fue un fulgor de esperanza para todo espíritu libre hace treinta años, se ha convertido paso a paso en la tumba de la libertad. La figura de Fidel Castro ha ido perdiendo brillo y fascinación, aunque todavía mantiene en determinados ambientes progresistas algún destello de aquella gloriosa rebeldía original. Hoy la llamada revolución cubana no es un modelo para nadie y puede considerarse un doloroso fracaso político.

Los frutos del mal de esta tiranía del Caribe son los de todas las tiranías: exilio, presos políticos, economía de subsistencia, falta de libertad. Fidel Castro ha ido acumulando todos los poderes. Hoy es presidente de la República, presidente del Consejo de Ministros, presidente del Consejo de Estado y comandante en jefe de las Fuerzas Armadas. De aquel brillante revolucionario de hace treinta años sólo quedan las barbas, cada vez más canosas. Los laureles de entonces hace tiempo que se marchitaron.

Castro es —junto con la triste figura del rumano Ceausescu— el último resistente de la órbita soviética a la liberalización del régimen impulsada por la «perestroika» de Gorbachev. El dictador de La Habana se resiste al cambio, con lo que se sitúa frente a los vientos de la historia. Propone que Cuba vele por la «pureza ideológica de la revolución». Este atrincheramiento da idea de la fosilización a que ha llegado el régimen castrista.

El tremendo terremoto de Armenia impidió que Gorbachev visitara Cuba a la vuelta de su reciente viaje a Estados Unidos; pero parece evidente que en Moscú existe malestar no sólo por la actitud de Castro, sino también por la mala administración de la ayuda soviética, cifrada en unos cinco mil millones de dólares al año.

De continuar, como parece, el «deshielo» en las relaciones entre Moscú y Washington, y la distensión dialéctica entre el Este y el Oeste, el personalísimo sistema castrista se queda a la intemperie, sufriendo los embates de un lado y del otro. La carta de los intelectuales, exigiendo la liberalización de una de las últimas dictaduras de América, no puede ser más oportuna. Es una carta que merece una respuesta.

Diario 16, 28, 12. 1988. Madrid. España.

Ecuador.

EL COMERCIO
28 de diciembre de 1988

Castro rechaza pedido de plebiscito "porque hubo uno hace 30 años"

LA HABANA, 27 (EFE-REUTER-AFP).— El gobierno de Cuba ha descartado en su país un referéndum similar al que se celebró recientemente en Chile por estimar que ya se efectuó la consulta hace treinta años, cuando Fidel Castro derrocó el régimen del general Fulgencio Batista.

El director de Prensa y Cultura del Ministerio de Relaciones Exteriores cubano, Rolando López del Amo, declaró hoy que desconoce el documento suscrito por más de cien intelectuales en el que se pide el plebiscito y calificó de "absurdo" e "inconcebible" comparar la Revolución Cubana con el régimen del general Augusto Pinochet.

"El referéndum lo hicimos hace treinta años y lo hemos mantenido día a día con nuestra lucha y nuestro esfuerzo diario", dijo López del Amo durante la ceremonia de inauguración de la sala de prensa montada en el "Hotel Habana Libre" para los periodistas que cubrirán el XXX aniversario de la Revolución Cubana.

Asimismo, López del Amo agregó que "la Opción de entonces es la de ahora" y sigue vigente "nuestra disposición a dar la vida por ella.

"Pretender establecer un nexo entre la Revolucion Cubana y el régimen fascista de Pinochet es un absurdo, es inconcebible que pueda producirse", subrayó.

La solicitud de un referéndum planteada por más de cien intelectuales y artistas exhortaron hoy (martes) al presidente Fidel Castro a que siga el ejemplo de Chile y permita que los cubanos decidan en un plebiscito si quieren que permanezca en el poder.

Dijeron que debería convocar a elecciones si los cubanos votan por el "no" en un comicio supervisado internacionalmente.

"Después del ejemplo de Chile donde el pueblo, luego de 15 años de dictadura, ha podido manifestar su opinión libremente sobre el destino político del país, nos dirigimos a usted para pedirle que en Cuba se efectúe un plebiscito donde el pueblo con un "sí" o con un "no" pueda decidir, mediante un voto libre y secreto, su conformidad o rechazo a que usted continúe en el poder", dice la peticion.

"Si triunfara el 'no', señor Presidente, debe dar paso a un proceso de apertura democratica y a la mayor brevedad posible convocar a elecciones para que el pueblo cubano pueda elegir libremente a sus gobernantes", continua.

Entre los firmantes de esta carta abierta a Fidel Castro, destacan entre otros el cineasta italiano Federico Fellini, el escritor español Camilo Jose Cela, el actor frances Yves Montand, el filosofo español Jose Luis Aranguren, el escritor argentino Ernesto Sabato, el autor estadounidense Saul Bellow.

EL NACIONAL / *Miércoles 28 de diciembre de 1988*

Venezolanos apoyan plebiscito en Cuba

A escasos días de cumplirse el XXX aniversario de la llegada de Fidel Castro al poder, un grupo de internacionalistas y políticos venezolanos se pronunciaron sobre el reciente planteamiento de hacer un plebiscito en Cuba.

Esa petición fue realizada por varios intelectuales europeos, norteamericanos y latinoamericanos, quienes motivados por el resultado del No en el plebiscito chileno, dirigieron una carta abierta al líder cubano.

Juan José Monzant: Fidel Castro saldría favorecido

Para Juan José Monzant, la figura del plebiscito es un instrumento pautado en los regímenes donde funciona la democracia formal de conformidad con los principios constitucionales que la rigen.

—El caso del plebiscito chileno, aclara, se escapa de esta regla general, por cuanto fue de la misma dictadura militar que salió la propuesta popular con un fin muy determinado y concreto de poder salir de un Estado de hecho con dignidad. "Fue, en todo caso, una manera que encontraron para entregar la administración del Estado a los civiles".

Monzant se refiere al caso de Cuba y destaca que no se puede pretender aplicarle los mismos mecanismos que se encuentran pautados en el juego democrático, ya que sería desconocer un hecho histórico, como lo es la revolución. "Es decir, la transformación total de la estructura legal de los medios de producción y de las formalidades del modelo de desarrollo, en el cual los mecanismos de medición de la efectividad, de la libertad y de la producción son totalmente diferentes a la democracia formal".

—Sin embargo, luego de 30 años del proceso revolucionario y obtenidos algunos de los resultados propuestos, podría plantearse dentro de una decisión del seno del Partido Comunista cubano la posibilidad de alternar la jefatura del Estado. Cosa que de una u otra manera, con los cambios que se han introducido en los últimos cinco años, se plantean.

Agrega que si Castro se somete a consulta popular de si debe o no continuar en la jefatura del Estado, obtendría los mismos resultados que en el 57, es decir, saldría favorecido ampliamente.

Por otra parte, continuó, el problema no está en Fidel, sino en lo que la sociedad en un momento determinado considera cuál debe ser el modelo de desarrollo que le pueda dar la mayor suma de calidad de vida y en este sentido, cuando es una decisión colectiva, la individualidad importa poco, y este es el caso concreto de Cuba.

—Plantear el hecho democrático sobre el juego de libertades formales que no tengan ninguna perspectiva concreta para el todo social, no deja de ser sino un juego intelectual o teórico alejado del hecho ideológico y del fin de la política.

Juan José Monzant

Alexis Ortiz

Radamés Larrazábal

Aníbal Romero

Monzant recalcó que sí está de acuerdo con que se realice un plebiscito, "porque estoy seguro de que Fidel lo gana".

Estupendo para el pueblo cubano

"A mi modo de ver, llevar a cabo ese plebiscito sería estupendo para el pueblo cubano, pero estoy seguro que el dictador Fidel Castro no lo va a hacer y, en todo caso, si lo hiciera, seguramente llevaría a cabo un fraude".

Así lo expresó Aníbal Romero, quien además señaló que la petición de un plebiscito es positiva porque pone de manifiesto la diferencia fundamental entre un sistema totalitario como el cubano y una dictadura tradicional como la de Pinochet en Chile.

Según Romero, ambas formas son repudiables, pero las primeras, es decir, las totalitarias, no tienen forma, mientras que en las segundas sí existe la posibilidad del regreso.

—Sin embargo, en América Latina muchos intelectuales y políticos, así llamados "progresistas" se sienten cómodos con Fidel Castro, pero muy incómodos con Pinochet.

El internacionalista se preguntó el por qué de esta situación, "si al fin y al cabo ambos han oprimido, torturado y fusilado. ¿Por qué se invita a Castro a la toma de posesión del nuevo Presidente venezolano y no a Pinochet?, ¿cuál es la diferencia entre ambos? Al fin y al cabo Pinochet hizo su plebiscito, Castro nunca lo hará".

Por último, Aníbal Romero apoyó la exhortación y deseó, al mismo tiempo, que muchos intelectuales venezolanos también lo hagan.

Alexis Ortiz: luego de 30 años es necesario

Alexis Ortiz opina que después de 30 años en el mando, en el cual Fidel ha ejercido varios cargos que le permiten un poder absoluto para gobernar a su país de manera autoritaria, ese plebiscito que piden los intelectuales es absolutamente necesario.

—Pero si no se le concede el derecho a votar a los casi dos millones de cubanos que están en el exilio, el mismo sería incompleto.

Es increíble, añadió, que mientras Gorbachov da muestras de gran audacia y valentía democrática, un gobernante subalterno de la Unión Soviética, como lo es Fidel Castro se niegue a una apertura que garantice el pluralismo y otros derechos de sus conciudadanos.

Radamés Larrazábal: es una demanda interesante

El dirigente político de izquierda, Radamés Larrazábal, dijo que al gobierno cubano le debe parecer interesante la demanda que se le hace, ya que entre otras cosas, su resultado ratificaría la autoridad de Castro.

—En realidad, la apertura democrática dentro de una dinámica de renovación, como por ejemplo la que se cumple en la Unión Soviética y en otros países socialistas refuerza las bases mismas del humanismo socialista.

Larrazábal explicó que la inmensa popularidad histórica del comandante Fidel se hace posible porque siempre ha sido un factor de rectificaciones y de robustecimiento tanto en el proceso cubano, como en el seno mismo del partido.

"En definitiva, tal solicitud, a pesar de las inmensas presiones que le Estados Unidos recibe Cuba, no puede ser considerada ni alarmante, ni descabellada por la dirigencia cubana", afirmó.

INDICE

Metropolitanas	2/4-A
Ecuador	5
Editoriales/Enfoques	6-A
Nacional/Internacional	7-A
Latinoamérica	8-A
Entretenimientos	9-A/6-B
Página Social	10-A
Deportes Varios	1-B
Grandes Ligas	2-B
Fútbol	3-B
Ligas Hispanas	4-B
Páginade la Mujer	5-B
Clasificados	7/9-B
Deportes Información Final	10/B

NUEVA YORK
AÑO 9

Fidel Castro

Castro Tiene Miedo a Consulta Popular Y le Escapa al Sugerido Plebiscito

Por Santiago Oms
NOTICIAS DEL MUNDO

El régimen de Cuba ha descartado en su país un plebiscito similar al que se celebró recientemente en Chile, por estimar que ya se efectuó la consulta hace treinta años, cuando Fidel Castro derrocó el régimen del general Fulgencio Batista, según dijo un portavoz en La Habana.

De esta manera se rechazó la solicitud hecha al dictador cubano por más de un centenar de personalidades del mundo entero, la que fuera publicada ayer en 20 de los principales periódicos del planeta.

El director de Prensa y Cultura del Ministerio de Relaciones Exteriores cubano, Rolando López del Amo, declaró ayer que desconoce el documento suscrito por más de cien intelectuales, en el que se pide el plebiscito ... rechazó su contenido y calificó de "absurdo" e "inconcebible" comparar la revolución cubana con el régimen del general Augusto Pinochet.

En su entrevista con la agencia de noticias española EFE, añadió que "el referéndum lo hicimos hace treinta años y lo hemos mantenido día a día con nuestra lucha y nuestro esfuerzo diario".

Las palabras de López del Amo ceremonia de inauguración de la sala de prensa montada en el hotel Habana Libre, antiguo hotel Hilton, en L y 23 en la capital cubana, para los periodistas que cubrirán el XXX aniversario de la llamada revolución cubana.

Asimismo, López del Amo agregó que "la opción de entonces es la de ahora" y sigue vigente "nuestra disposición a dar la vida por ella".

NOTICIAS del MUNDO

NUEVA YORK 35¢ Fuera del área metropolitana de Nueva York y Nueva Jersey 40¢ MIERCOLES 28 DE DICIEMBRE DE 1988

Castro...

(Viene de la primera pág.)

"Pretender establecer un nexo entre la revolución cubana y el régimen fascista de Pinochet es un absurdo, es inconcebible que pueda producirse".

REACCION DE LA COMUNIDAD CUBANA

A pesar de que los líderes y miembros de la comunidad cubana en el exilio esperaban una negativa de Castro a dicho plebiscito, el envío de dicho documento ha sido apoyado por todo el exilio, al considerarlo como muy valioso y una manera de desenmascarar internacionalmente al régimen.

El destacado y conocido periodista cubano radicado en Miami, Tomas Regalado, declaró a **Noticias del Mundo**, en entrevista vía teléfonica, que la carta abierta es un duro golpe a Castro, en el orden de su propaganda internacional, fundamentalmente ahora en Europa, que lleva a cabo una intensa campaña tendiente a atraer el turismo internacional, en busca desesperada de divisas.

Precisó que de ahora en adelante cada vez que se haga un resumen por la prensa en todo el mundo acerca de los 30 años del régimen de Castro, el plebiscito saldrá a relucir.

Indicó también Regalado que los cubanos en la capital del exilio han reaccionado entusiastamente al documento, poque independientemente que saben que Castro no lo hará, su imagen sí se verá afectada en todo el mundo, por el prestigio que tienen la mayoría de los firmantes.

El alcalde de Union City y asambleísta estatal Robert Menéndez declaró que si Castro aplicara el plebiscito con las normas de garantía que se le piden, el referéndun sería una vía positiva en el caso de Cuba.

Por su parte Guillermo Estévez, ex preso político, miembro de varias organizaciones cubanas en el exilio y presidente del Comité de Rescate Internacional, declaró a este diario que lo más importante de la carta abierta es que constituye un paso firme para desmitificar ante el mundo la figura de Castro.

Agregó que dada la importancia de la mayoría de los que firman, muchos de ellos inclusive de tendencia izquierdista y que públicamente en otras ocasiones han apoyado a Castro, el documento adquiere una mayor resonancia internacional y pone en una situación muy difícil al régimen de La Habana.

Concluyó destacando que la verdadera cara de Castro ha quedado una vez más al descubierto.

En tanto, el directivo de la Asociación de Ex Presos Políticos Cubanos, Gregorio García Huet, a quien le fue fusilado un hijo en Cuba, mostró su satisfacción por el daño que le hará internacionalmente al régimen comunista la difusión de este documento.

En igual sentido se expresaron otros líderes cubanos y miembros de la comunidad en el exilio, entrevistados en Nueva Jersey y Nueva York.

THE WASHINGTON POST, WEDNESDAY, DECEMBER 28, 1988

USA

An Open Letter To Fidel Castro

Actors, Authors Call for Plebiscite

From News Services

MIAMI, Dec. 27—An international group of more than 170 writers, scientists, film stars and others has signed an open letter asking Fidel Castro to hold a plebiscite on his rule, which began on Jan. 1, 1959, but a leader of the effort says he does not expect success.

The letter was published today in advertisements in 18 newspapers around the world, including The New York Times, The Miami Herald, France's Le Monde, Colombia's El Tiempo, Mexico's El Excelsior and Puerto Rico's El Nuevo Dia.

Among those who signed the document are actors Jack Nicholson, Corbin Bernsen, Gerard Depardieu, Yves Montand and Isabella Rosselini, filmmakers Federico Fellini of Italy and Hector Babenco of Argentina, author Susan Sontag and human rights activist Armando Valladares.

Others signing included Nobel Prize-winning writers Claude Simon and Saul Bellow; Nobel scientists Andre Lwoff and Jean Dausset; and writers Camilo Jose Cela of Spain, Octavio Paz of Mexico, Ernesto Sabato of Argentina and Mario Vargas Llosa of Peru.

"On January 1, 1989 you will have been in power for thirty years without having, so far, celebrated elections to determine if the Cuban people do wish you to continue," the letter says"...We request by this letter a plebiscite so that Cubans, by free and secret ballot, could assert simply with a yes or a no their agreement or rejection to your staying in power ...

"Should the no prevail, it would be incumbent upon you to respect the will of the majority by giving way to a period of democratic openness and promptly calling an election where the Cuban people could freely elect its leaders."

A Cuban government official dismissed the call for a plebiscite as absurd.

"This referendum, or plebiscite, we did it 30 years ago and we have done it every day ever since," Foreign Ministry spokesman Rolando Lopez del Amo said in reference to the January 1959 revolution.

The campaign was started by Cuban novelist Reinaldo Arenas, who admits he does not expect the letter to produce any results.

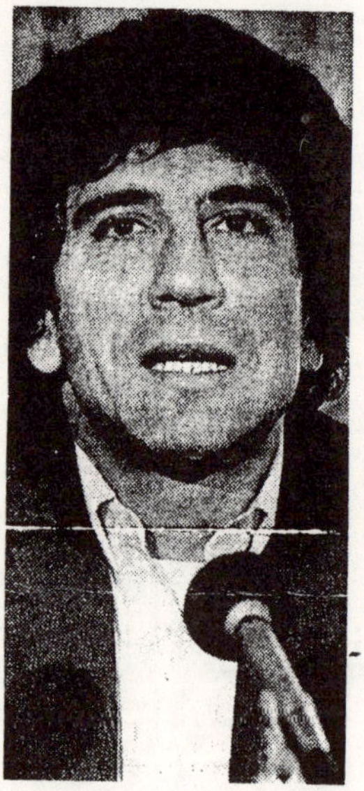

Cuban novelist Reinaldo Arenas, who began the plebiscite campaign.

"The objective is to ask precisely what he cannot give because it would mean his downfall," Arenas said. The letter asks Castro for the formation of an international commission to monitor voting, freedom for all political prisoners and the suspension of laws that curtail freedom of expression, the return of exiles to Cuba so they can campaign and the legalization of human rights committees in Cuba.

Most of the money for the advertisement was donated by the people who signed it.

"One of the most important features of that letter is that many of those who signed it were once great friends of Fidel Castro," said Ricardo Bofill of Miami, founder of the Cuban Committee for Human Rights in Cuba. "Perhaps it will make him see he has lost much support from the intellectual community in Europe and the United States."

The idea came from a similar plebiscite held in Chile earlier this year. The people of Chile rejected the rule of Augusto Pinochet, dictator for 15 years. Pinochet says he will step down after elections are held.

Puerto Rico.

Letter to Castro ignites P.R. debate

By DOREEN HEMLOCK
Of The STAR Staff

An open letter to Fidel Castro set off a controversy here on Tuesday over Cuban politics.

The letter, published in newspapers worldwide including two local Spanish dailies Tuesday, asks Castro to call a plebiscite for Cubans on whether he should stay in power.

More than 100 writers, filmmakers, artists and intellectuals from around the world signed the petition, including many Puerto Ricans and Cubans living here.

Carlos Gallisá, general secretary of the Puerto Rican Socialist Party, immediately rejected the letter, saying the proponents of the plebiscite do not understand Cuba's history and that a majority of Cubans support Castro.

But signees here said Cubans have never had the chance to express their opinions on Castro's 30-year regime. They also said the letter will be circulated to international organizations and parliaments to get further support for the plebiscite.

"As much as those who signed the letter presume they are intellectuals, artists or whatever, their letter runs against the grain of history," Gallisá told the Associated Press.

"In Cuba, socialism triumphed and this victory has been ratified by the Cuban people fighting and wining on Playa Girón, building a new society with their own efforts, participating in political processes and defending their socialist homeland wherever it has been necessary," Gallisá said.

But Emilio Guede, a Cuban resident here who signed the letter, called Gallisá "archaic and prehistoric" in supporting Castro's regime, which he compared to an "absolute monarchy."

"Gallisá is blind to world movements in communist countries," Guede said, referring to political and economic reforms in the Soviet Union and the People's Republic of China. "Castro has never made a legitimate or even an illegitimate consultation to see if people want him to stay in power."

Puerto Rican educator Arturo Morales Carrión, who also signed the letter, said in a telephone interview: "It is an opportune moment for the Cuban people to democratically express their opinions, just as the Chilean people have."

STAR photo Luis Castro

Emilio Guede holds a copy of the newspaper ad with an open letter asking Fidel Castro to hold a plebiscite on whether he should remain in power.

The open letter, dated Dec. 20 in Paris, specifically refers to "the recent example of Chile, where after 15 years of dictatorship, the people were able to express their view freely on their country's political future."

The letter asks for the plebiscite "so that Cubans, by free and secret ballot, could assert simply with a yes or no their agreement or rejection of [Castro's] staying in power."

To guarantee the impartiality of the vote, the letter also sets four conditions:

- naming of a neutral international commission to oversee the plebiscite;
- freeing all political prisoners and suspending all laws that curtail the free expression of public opinion;
- allowing all exiles to return to Cuba, who together with other sectors of the opposition would campaign using all means of communication;
- and legalizing human rights committees within Cuba.

"The letter is more than an appeal. It's a denunciation of the absence of liberty in Cuba," Guede said in a telephone interview. "We doubt we'll receive any response from Castro, because if he met those conditions, we feel the 'No' against his regime would be even stronger than the No against (Chile's Augusto) Pinochet."

Gallisá said Tuesday that the comparison "between socialist Cuba and the fascist dictatorship of Augusto Pinochet shows the enormous anti-Cuban prejudice of those signing the letter."

But Puerto Rican writer Salvador Tió-Montes de Oca, who also signed the petition, said his support was born of opposition "to all dictatorships, of the right and the left."

"I backed Castro when he fought against the dictatorship of Fulgencio Batista, but I withdrew my support when I saw Castro was establishing another dictatorship," he said.

Tió also downplayed the remarks by Gallisá, saying that "less than 1/2 of a percent of the voting population in Puerto Rico supports the PSP."

Efforts to reach Commonwealth Secretary of State Sila Calderón and Rubén Berríos, president of the Puerto Rican Independence Party, for their reaction to the plebiscite appeal were not successful Tuesday.

The open letter to Castro, organized in about three weeks by some Cuban exiles in New York, included the names of Italian filmmaker Federico Fellini, French actor Yves Montand, Peruvian writer and politician Mario Vargas Llosa, U.S. writer and Nobel Prize winner Saul Bellow, and Mexican writer Octavio Paz.

Puerto Ricans signees also included educator Jaime Benítez and newspaper editor Pedro Julio Burgos. Other Cubans residing here who signed included architect Ariel Gutiérrez, newspaper editor Carlos Castañeda, and historian Hilmice Esteve.

The publication of the letter comes just days before the 30th anniversary of the Cuban revolution, to be celebrated with official ceremonies in Havana next week.

Among the Puerto Ricans planning to attend the Havana ceremonies are Gallisá, socialist leader Juan Mari Bras, nationalist Rafael Cancel Miranda, labor leader Luis Amaury Suárez, the Rev. Eunice Santana, environmentalist Neftalí García, student leader Moisés Méndez, and PIP officials, the AP reported.

REPÚBLICA DOMINICANA

EL CARIBE, 29 DE DICIEMBRE DE 1988.— Pág. 9

La Carta Pública a Fidel Castro

Por Miguel Guerrero

Al día siguiente de la publicación de la Carta Pública que intelectuales de Europa, Estados Unidos y la América Latina, dirigieran al presidente de Cuba, Fidel Castro, instándole a realizar un plebiscito, similar al efectuado por el general Augusto Pinochet en Chile, que de oportunidad al pueblo a expresarse libremente acerca de sus aspiraciones políticas, un periodista me preguntó si creía que Castro accedería a tal petición. Yo le respondí tajantemente y de inmediato que el dictador la rechazaría o trataría de ignorarla.

¿Por qué, entonces, usted suscribió esa carta si esa es su opinión", me inquirió, medio aturdido el periodista. Mi contestación fue que la de que Castro es un autócrata y magalómano, que no acostumbra a tomar en cuenta las opiniones ajenas, y mucho menos las de sus contrarios.

La carta, más que persuadir al tirano de La Habana, tiene como objetivo llamar la atención con respecto al grado de impunidad con que la intelectualidad y la opinión pública internacional, dejan actuar a un régimen que durante tres decenios ha mantenido sepultadas todas las libertades en Cuba y al hecho de que en materia de longevidad esa tiranía sólo tiene en la de Alfredo Strossner, en el Paraguay, un ejemplo de mayor antiguedad en el Continente americano.

Pero a diferencia del Paraguay, donde a pesar de las restricciones y los peligros existentes, opera un diario independiente, como ABC Color, que hace oposición franca y abierta a la dictadura, en Cuba no existe ningún asomo de libertad y las cárceles siguen llenas de personas acusadas de los peores pecados sólo por el hecho de emitir opiniones adversas al régimen.

La Revolución castrista ha sido un solemne fracaso. Las propias cifras dadas recientemente por Castro a la nación, para analizar el desenvolvimiento del año a punto de expirar y las perspectivas nada lisonjeras del entrante, sólo han sido, no obstante las catastróficas revelaciones, una repetición de lo que año tras año las circunstancias y los hechos le obligan a hacer, ante los resultados desastrosos de la planificación centralizada y el establecimiento del comunismo en la isla.

Yo firmé la carta pública a Castro no porque creyera que con ello pudiera conmovérsele y obligársele a dar marcha atrás, sino porque estimo necesario que se le combata en todos los frentes; que se le acuse constantemente ante la opinión pública internacional como lo que realmente es: un tirano que oprime y empobrece a su pueblo.

La Revolución se ha alimentado de mitos, que los incautos en todas partes —ignorantes e intelectuales, políticos y artistas, etc.— aceptan sin reflexionar, porque siempre, al fin y al cabo, resulta más cómodo así que hurgar en busca de la verdad y afrontar las consecuencias que tantas veces ello acarrea. Fimé la carta no para convencer a Castro sino para denunciarlo y acusarlo.

La verdadera decepción, supongo, de quienes estamparon también sus firmas en ese documento histórico debe haber sido en este país, no la inmediata y airada reacción del gobierno cubano, al través de un oscuro funcionario de la Cancillería en La Habana, diciendo que en Cuba se hizo un plebiscito hace 30 años y que cada día se reitera con la construcción del socialismo (¡Mira que difícil les resulta terminarlo!), porque eso cabía esperarlo, sino los pocos intelectuales y profesionales dispuestos a asumir esa responsabilidad ante sus propias conciencias de hombres libres. Que un documento de esa naturaleza haya sido suscrito únicamente por un puñado de dominicanos es una lástima.

Pero como tantas otras veces en el pasado, la verdad se impondrá alguna vez en Cuba y aires de libertad soplarán de nuevo sobre la tierra maravillosa de Martí.

U.S.A.

THe New York Times, december 29, 1988.

THE NEW YORK TIMES, THURSDAY, DECEMBER 29, 1988

Cuba Says Petition for Vote On Castro's Rule Is Absurb

MEXICO CITY, Dec. 28 (AP)– President Fidel Castro's Government has rejected as "absurd and inconceivable" a petition by 100 writers, actors and scientists that he hold a plebiscite to see if the Cuban people want him to stay in power.

The petition asked Mr. Castro to hold a yes-or-no referendum as President Augusto Pinochet of Chile did this year. After forces opposed to General Pinochet won the plebiscite, he said he would step down in 1990. The petition was published as an advertisement in The New York Times and several other newspapers on Tuesday.

A Foreign Ministry spokesman, Rolando Perez del Amo, rejected the petition in a statement quoted in a dispatch from Havana by the official Cuban press agency Prensa Latina.

"It is absurb and inconceivable to establish a comparision between Cuba and the fascist regime of Augusto Pinochet" in Chile, the agency quoted Mr. Perez del Amo as having said.

Mr. Perez del Amo referred to the petition at a news conference held in Havana dealing with the 30th anniversary of the triumph of the Cuban revolution on Jan. 1. "The Cuban people held a grand plebiscite concerning their destiny 30 years ago and they repeat that action every day with their decision to continue with socialism," Prensa Latina reported him as having said.

Thursday, December 29, 1988 DAILY NEWS New York.

Fidel, you've overstayed your welcome

Nueva York.

I was only 8 years old, but I remember that New Year's Day of 1959 as if it were yesterday. For Cubans, this is the equivalent of the day President Kennedy was shot: Everyone remembers exactly what he or she was doing. How does one forget the triumph of a revolution? Thirty years ago, when Fidel Castro's rebels came down from the mountains, I thought I was living the story of Moses, but I didn't know this bearded prophet was carrying the Communist Commandments.

Today, some of those commandments have been ignored even by the Russians, but Castro still holds on to the pureness of totalitarian socialism. In these days of *perestroika* and *glasnost*, Castro still rejects experiments with capitalism. Now that freedom is taking root throughout the Communist bloc, he still practices Stalinism—one of the few left on Earth.

His totalitarian rule had such a romantic beginning that for many years many of the world's left-wing intellectuals were willing to ignore his human rights violations, his curtailing of freedom of expression, his political prisoners, his determination to rule indefinitely. His charisma was so powerful that many of the rich and famous kept going to Havana to have their picture taken with Fidel.

And yet many of those same people—seeing the world become less totalitarian—have had no choice but to admit that Castro represents a scar on the face of the Earth. After 30 years, in which even dictators like Chile's Pinochet have given people freedom of choice, some are now calling for a Cuban plebiscite.

"On Jan. 1, 1989, you will have been in power for 30 years without having, so far, celebrated elections to determine if the Cuban people do wish you to continue as President of the Republic, President of the Council of Ministers, President of the Council of State and Commander-in-Chief of the Armed Forces," they wrote in an open letter to Castro published in various languages in a paid advertisement in 18 newspapers throughout the world Tuesday. "Following the recent example of Chile, where after 15 years of dictatorship, the people were able to express their view freely on their country's political future, we request by this letter a plebiscite so that Cubans, by free and secret ballot, could assert simply with a yes or a no their agreement or rejection to your staying in power."

This idea is not new. The first to pose the question of a Cuban plebiscite was Alejandro Masferrer of Diario/La Prensa. But this letter is signed not only by more than 100 Cuban dissidents. It is significant because it also is signed by many of the world's foremost writers, actors, filmmakers, artists—Italy's Federico Fellini, Mexico's Octavio Paz, Puerto Rico's Salvador Tio, Peru's Mario Vargas Llosa, Argentina's Manuel Puig, America's Saul Bellow and Jack Nicholson.

The letter also notes that in order to guarantee the impartiality of the referendum, Castro would have to allow for a neutral international commission to oversee the elections and for Cubans to exercise basic freedoms that are currently forbidden by his regime. It says he would have to suspend laws that curtail the free expression of public opinion, legalize human rights committees, free political prisoners and allow exiles—as Pinochet did—to return and campaign freely against the present regime.

ALTHOUGH THEY don't expect Castro to react positively—his spokesman in the U.S. has already called the letter "absurd and inconceivable"—the signers have told the world that Castro is more Russian than today's Russians, that he has outlived his days as a Stalinist dictator. They have given him something to consider when he gives his annual speech to commemorate that day in Cuban history, when I was 8 years old and believed in a false prophet.

USA.
Washington.

How About a Cuban Plebiscite?

THE LONGTIME rightwing dictator of Chile conducted a vote on his rule, lost and agreed to step down, so why shouldn't Cuba's twice-as-longtime leftwing dictator run and accept the results of a similar plebiscite? This impeccably logical challenge by a group of international writers has now elicited a response from Havana. "The Cuban people held a grand plebiscite concerning their destiny 30 years ago," a spokesman for Fidel Castro actually said, referring to the Communist takeover, "and they repeat that action every day with their decision to continue with socialism."

Fidel Castro is surely the best judge of how he would fare in an honest poll. Nothing on the horizon appears to threaten his power. It is evident all around, however, that his regime is going through a bad patch. The economy has never been harder up to pay for vital imports. Although his defiance of the Americans still warms the Latin left, the contrast between persistence of his police state and the rise of the democratic tide elsewhere in Latin America has never been sharper. His rejection of the reforms now embraced by his Soviet patrons ($6.8 billion in annual subsidies) does not indicate that Moscow is about to dump him but must raise questions about the future.

One sign of Mr. Castro's uneasiness is his bid to improve relations with Washington. He has reinstated the immigration agreement he suspended in 1984, learned to live with the American Radio Marti, opened up to American-stirred international demands to inspect his prisons and released some political prisoners. Cuba's 50,000-man expeditionary force in Angola is now due to be withdrawn on terms that meet some but not all of Havana's earlier demands.

But it would be a mistake to rush on, as some would, toward what has always been for Cuba the great diplomatic prize, lifting the American economic embargo. Some lesser items on the common agenda could usefully be addressed. Sen. Claiborne Pell, a recent Havana visitor, suggests telephone calls and visas, and cooperative measures in Coast Guard and drug trafficking are also on the list. But as long as Fidel Castro keeps putting Cuban soldiers at imperial Soviet service, provides Moscow military bases and supports armed Latin revolutions, Washington has no interést in dropping the embargo and making it easier for him to build—to rescue—his sort of socialism in Cuba. Of course if he were to run a plebiscite, that might be another story.

The Washington Post

AN INDEPENDENT NEWSPAPER

FRIDAY, DECEMBER 30, 1988 A17

el Nuevo Herald

24 PAGINAS MIAMI, FLA., VIERNES 30 DE DICIEMBRE DE 1988

Carta de 114 intelectuales cubanos en apoyo a Castro

Por ANA E. SANTIAGO
Redactora de El Nuevo Herald

Carta sobre la mesa —P.6A

Una carta firmada en La Habana por 114 artistas y escritores cubanos que apoyan a Fidel Castro y la revolución, se dio a conocer el jueves a la prensa mundial. Mientras tanto, miembros del Comité Pro Derechos Humanos en Cuba, comunicaron a El Nuevo Herald que en la barriada habanera de Luyanó han aparecido letreros que dicen "No".

La declaración de los intelectuales cubanos fue interpretada como una respuesta a una carta abierta de 163 intelectuales del mundo que solicitan a Castro la convocatoria de un plebiscito.

El documento cubano expresa la admiración y solidaridad hacia Castro de figuras literarias y artísticas de Cuba.

"Querido compañero Fidel: sabemos el papel que has desempeñado en situar a Cuba en el mundo, al servicio de las mejores causas [...] que todos sepan que nosotros, tam-

Pasa a la página 4A

Arenas: el pueblo no está solo

■

114 intelectuales responden a carta

Viene de la página 1A

bién fabricantes de sueños, estamos hóy, siempre contigo".

Entre los firmantes se encuentran la bailarina Alicia Alonso, los escritores Miguel Barnet y Eliseo Diego, los cantantes Silvio Rodríguez y Pablo Milanés, el presidente de la Casa de las Americas, Roberto Fernández Retamar, el compositor César Portillo de la Luz y los músicos Leo Brower, Frank Fernández y Jorge Luis Prats.

La carta de París pidiendo a Castro que convoque un plebiscito se produjo cinco días antes del 30 aniversario de la revolución castrista.

Dos días después, los firmantes que apoyan a Castro expresan en su documento que la victoria de 1959 "significó el rescate definitivo de la nación [...] y sentó las bases para que la dignidad plena del hombre fuera una realidad en nuestro país".

En Miami, el activista de derechos humanos Ricardo Bofill, dijo que la declaración de La Habana evocaba "una profunda compasión. Realmente nos sentimos compungidos porque los artistas realizan una elegía a Fidel. Esta carta tiene que haber sido un aldabonazo en sus conciencias porque indudablemente la mayoría piensa igual que nosotros. Esto a mí me consta porque incluso tres personas de los nombres que he sabido de esa lista, en los peores momentos cuando yo estaba siendo atacado por *Granma*, me hicieron llegar mensajes de solidaridad con mi disidencia"

Bofill dijo que dentro de Cuba ha sido demoledora la carta de París, la cual pide convocar un plebiscito donde los cubanos decidan con un "Si" o un "No" la continuidad de Castro en el poder.

"Ya están apareciendo letreros en La Habana que dicen 'No'. En la barriada de Luyanó, que es una barriada obrera, me informaron miembros de mi comité que más de 20 letreros pintados con creyones rústicos han aparecido".

Reinaldo Arenas, otro de los firmantes de la carta de París, expresó al enterarse de los letreros que era "fantástico que el pueblo de Cuba sepa que no está solo, que una comunidad internacional de intelectuales, de artistas y científicos, los más importantes en la actualidad, están por la libertad de Cuba y porque el pueblo elija su gobernante.

Desde Nueva York, el cineasta cubano exiliado Jorge Ulla, dijo a El Nuevo Herald que conocía cómo pensaban algunos de los firmantes cubanos y opinaba que algunos "no fueron consultados. Esta carta la hizo un comisario de la cultura y se ha firmado sin consultar a nadie".

Arenas coincidió con esta versión de Ulla, diciendo que en Cuba "hay que firmar obligatoriamente.".

Ulla también informó que la diseñadora Paloma Picasso y el director de cine David Lynch han sido las dos últimas figuras internacionales, de un total de 100, que se han sumado a la carta de París.

Esta información fue suplementada con material de servicios cablegráficos.

Puerto Rico.

24 EL NUEVO D

Primer Plano

Fidel Castro no acepta el emplazamiento.

"El pueblo cubano realizó un gran plebiscito sobre su destino hace 30 años y lo repite todos los días con su actividad decidida para construir el socialismo", afirma el Gobierno

Octavio Paz

Saul Bellow

Vargas Llosa

Jean Dausset

Jack Nicholson

Federico Fellini

Rechaza Cuba realizar un plebiscito con Castro

MEXICO (AP) – Cuba calificó de "absurda e inconcebible" una petición de intelectuales al presidente Fidel Castro para que realice un plebiscito similar al de Chile sobre su permanencia en el poder, dijo la agencia oficial de noticias cubana Prensa Latina.

"Es absurdo e inconcebible establecer una comparación entre Cuba y el régimen fascista de Augusto Pinochet" en Chile, expresó en La Habana Rolando Pérez del Amo, director de Prensa de la cancillería cubana, según el despacho cablegráfico de Prensa Latina, recibido aquí.

"El pueblo cubano realizó un gran plebiscito sobre su destino hace 30 años y lo repite todos los días con su actividad decidida para construir el socialismo", agregó Pérez del Amo, según Prensa Latina.

LA DECLARACION fue la primera reacción oficial cubana ante la aparición ayer en México de una carta, que según los periódicos, fue enviada desde París a La Habana y firmada por más de 100 intelectuales, científicos y artistas internacionales de 20 países, en la cual los firmantes exhortan a Castro a realizar el plebiscito "para que el pueblo de Cuba exprese su conformidad o rechazo a su permanencia en el poder".

Entre los firmantes figuran los premios Nóbel de Medicina Jean Dausset y André Wolff, el de Literatura Saul Bellow, el cineasta italiano Federico Fellini, el actor francés Yves Montand, el escritor peruano Mario Vargas Llosa y el mexicano Octavio Paz.

OCTAVIO PAZ, en una entrevista con el servicio noticioso mexicano Notimex, afirma que "hay dictaduras q no han sido ratificadas, ni rectificadas, y la carta abie que intelectuales de 20 países dirigimos al presidente Cas es para hacer valer la legítima petición de un pueblo

Dijo que no se creó comité alguno para elaborar misiva, sino que se trata "de un grupo de intelectuales c a través de ese manifiesto expresa la opinión generaliz: que sobre ese asunto prevalece en los medios artístico

"Es un poco tonto que el Gobierno cubano diga que plebiscito en ese país ya se realizó hace 30 años. I pueblos no se casan con sus gobernantes por el régin eterno, como los matrimonios religiosos, se casan a tra de un régimen moderno, donde es posible cambiar relación cuando las cosas no funcionan", dijo Paz.

■

El Nuevo Día, Puerto Rico, diciembre 30 1989.

Por el aniversario 30 del triunfo de la Revolución

La Habana.

Carta a Fidel de escritores y artistas cubanos

Ahora, como siempre, a treinta años del Primero de Enero, los escritores y artistas de Cuba nos reconocemos en la Revolución Cubana, el acontecimiento cultural más importante de nuestra historia.

Hace tres décadas, el triunfo del Ejército Rebelde significó el rescate definitivo de la nación, proyecto en aquel entonces aún no materializado, y sentó las bases para que fuera una realidad, en nuestro país, la dignidad plena del hombre. De entonces a acá, hemos reencontrado en nuestras raíces el camino hacia una continuidad cultural que tiene su origen más entrañable en el pensamiento de hombres como Varela y Martí, quienes establecieron la indisoluble relación entre cultura y libertad. Esa libertad que es hoy fuente de creación artística y base insustituible de nuestra labor.

La voz de Cuba, sofocada por el colonialismo primero y el imperialismo después, alcanzó con la Revolución la estatura que nos corresponde y es hoy admirada y respetada por lo más noble y progresista del mundo.

A partir de la Campaña de Alfabetización y el intenso trabajo realizado en la Educación, se amplió a cifras impensadas el público receptor, impartiendo a nuestro trabajo el aliento vital a que todo escritor y artista aspira.

Más allá de las fronteras de Cuba, la Revolución inauguró un nuevo capítulo en la historia del Tercer Mundo. En Nuestra América, sólo es comparable al abierto por la Revolución Haitiana y las guerras bolivarianas. En esta ocasión, ha desbordado el continente y se ha convertido en una magna tarea internacionalista, de la que es ejemplo soberano la forma hermosísima en que nuestro pueblo ha contribuido a la obtención de la independencia de Namibia y a la afirmación de la libertad en Angola y otros pueblos africanos.

La libertad que saludamos, y que nuestra Revolución ha hecho posible, no es una libertad engañosa o retórica, sino una realidad carnal que significa la vida para millones de seres humanos frente a la muerte que les deparaban el colonialismo, el imperialismo, el racismo, y sus acólitos.

Querido compañero Fidel: sabemos el papel que has desempeñado en situar a Cuba en el mundo, al servicio de las mejores causas. Los cubanos somos menos que los habitantes de cualquiera de las enormes ciudades de estos días, pero nuestra responsabilidad (que Martí llamó "el deber de Cuba") es grande. Lo saben los amigos y los enemigos. Que todos sepan que nosotros, también fabricantes de sueños, estamos hoy, siempre, contigo.

Alicia Alonso, Fernando Alonso, Alberto Alonso, Rafael Alcides, Santiago Álvarez, Ángel Augier, Loipa Araújo, Humberto Arenal, Raúl Alfaro, Mario Balmaseda, Adigio Benítez, Jorge Luis Betancourt, Roberto Blanco, Marianela Boán, Enrique Bonne, Leo Brouwer, Miguel Barnet, Ramón Calzadilla, Raúl Camayd, Luisa Campuzano, César Carballo, Alberto Jorge Carol, Orlando Castellanos, Raúl Corral Varela, Octavio Cortázar, Jesús Cos Causse, Jesús Díaz, Eliseo Diego, Agustín Drake, René de la Nuez, Gustavo Eguren, Abelardo Estorino, Jorge Esquivel, Roberto Fabelo, Carlos Fariñas, Roberto Fernández Retamar, Pablo Armando Fernández, Frank Fernández, Flora Fong, Ambrosio Fornet, Jorge Fuentes, Lázaro García, Jorge Ramón González, Harold Gramatges, Tomás Gutiérrez Alea, Alfredo Guevara, Joel James Figarola, Adelaida de Juan, Ariel James, Alden Knight, Rine Leal, Argeliers León, Alberto Lescay, Rita Longa, Guido López Gavilán, Lilliam Llerena, José Loyola, Waldo Leyva, Jorge Gómez Labraña, Raúl Martínez, Manuel Mendive, Pablo Milanés, Nancy Morejón, Manuel Moreno Fraginals, Miguel Mejides, Enrique Núñez Rodríguez, Pedro Pablo Oliva, Carilda Oliver, Roberto Orihuela, Danilo Orozco, Jesús Ortiz Ruiz, Lisandro Otero, Juan Padrón, Senel Paz, Carlos Pérez Peña, Félix Pita Rodríguez, Graziella Pogolotti, César Portillo de la Luz, José A. Portuondo, Omara Portuondo, Jorge Luis Prats, Abel Prieto, Alejandro Querejeta, Héctor Quintero, Raquel Revuelta, Zaida del Río, Marta del Río, Mariano Rodríguez, Víctor Rodríguez Delgado, Silvio Rodríguez, José A. Rodríguez, Tomás Sánchez, Arturo Sandoval, Humberto Solás, José Soler Puig, Luis Suardíaz, Jesús Valdés, Omar Valdés, Roberto Valera, Félix Luis Viera, Alejandro Vidal, Dania Vila, Miguel Villafruela, Cintio Vitier, Sergio Vitier, Salvador Wood, Hildelfonso Acosta, Ariel Alfonso, Norberto Codina, Orlando García, Eulalio Iglesias, Julio Llánez, Cristino Márquez, Pedro Méndez, Larry Morales, Lucía Muñoz, Mario Nieves, Rebeca Ulloa y Agustín Villafaña.

Periódico Granma (órgano oficial del Patido Comunista de Cuba)

Diciembre 30 de 1988. La Habana, Cuba.

La Habana, diciembre 31, 1988.

GRANMA REACCIONA CON VITRIOLO ANTE PEDIDO DE PLEBISCITO

LA HABANA, Dic. 31, 1988 — La "carta abierta" de figuras de las artes y las letras pidiendo un plebiscito en Cuba fue hoy calificada en comentario editorial del diario Granma —escrito con vitriolo— de "infame operativo de propaganda negra".

Según el largo comentario del vocero del Partido Comunista cubano, "haría falta un equipo multidisciplinario de científicos para desentrañar las motivaciones de ese diverso zoológico formado por los firmantes de la carta".

Entre ellos, comenta, "figuran más de 60 gusanos de origen cubano que optaron en su momento por la sociedad imperialista... apátridas que han hecho del frenesí anticubano un suculento modo de vida".

Entre ellos indica a "momias de la política republicana como Felipe Pazos o Raúl Chibás", "ese derelicto humano que lleva el nombre de Ricardo Bofill", "el ex policía batistiano Armando Valladares" y "un aventurero como Carlos Franqui". En cuanto a los firmantes de América Latina, "se encuentran seres tan reaccionarios como avergonzados del delantal indio de sus madres como Mario Vargas Llosa y Octavio Paz".

El comentario señala entre los firmantes europeos a "Eugenio Ionesco, que lleva décadas cobrando en las nóminas de Washington".

(Resumen de un largo artículo publicado por el periódico Granma, el 31 de diciembre de 1988. Esta respuesta oficial fue difundida por numerosos periódicos y revistas internacionales. Véase más adelante el reportaje "Granma ataca a personalidades". Cambio 16, Madrid, enero 1989.

USA. Miami.

SABADO 31 DE DICIEMBRE DE 1988
EL NUEVO HERALD

4A

AMERICA LATINA

Dice Cuba que Castro ganaría un plebiscito

Servicios cablegráficos combinados

Juristas, diputados e intelectuales cubanos afirmaron el viernes en La Habana que de celebrarse un plebiscito en Cuba, Fidel Castro ganaría "arrolladoramente".

Tras asegurar que el país "podría darse el lujo de convocar varios plebiscitos", el decano de la Facultad de Derecho de la Universidad de La Habana, Julio Fernández Bulpe, precisó que esto no es necesario porque el gobernante cubano "ha sido reelegido en varias ocasiones por el mecanismo electoral ordinario".

El decano hizo esas afirmaciones en rueda de prensa en el Hotel Habana Libre, ante corresponsales internacionales que se encuentran en la isla para cubrir los eventos programados en ocasión del 30 aniversario de la revolución cubana.

Fernández Bulpe se refirió al plebiscito que 163 intelectuales de diferentes partes del mundo solicitaron el pasado martes a Castro en una carta abierta originada en París.

Cuatro premios Nobel y figuras de importancia mundial como el director de cine Federico Fellini, el escritor Mario Vargas Llosa y el actor norteamericano Jack Nicholson firmaron la carta, publicada en más de 18 periódicos de Europa, América Latina y Estados Unidos.

Durante la conferencia en La Habana, otros cinco juristas y diputados defendieron el modelo político establecido tras el triunfo de la revolución de 1959, y declararon que "el referéndum más grande y demócratico" tuvo lugar en 1975 al aprobarse la vigente constitución.

Un día después de la publicación de la carta de París, en México várias escritores también la refutaron y apoyaron a Castro, entre ellos el escritor guatemalteco Luis Cardoza y Aragón, quien calificó la revolución cubana de "una obra gigantesca".

El jueves más de 114 artistas y escritores cubanos firmaron una carta expresando su admiración y solidaridad hacia Castro.

Refiriéndose a Fellini y al escritor norteamericano Saul Bellow, firmantes de la carta de París, Miguel Barnet, autor del *best-seller* mundial *Biografía de un Cimarrón*, dijo que "también las personas de prestigio pueden equivocarse".

El poeta y ensayista cubano Roberto Fernández Retamar expresó que creía que "muchas de estas personalidades desconocían la realidad socioeconómica cubana".

En tanto, no ha cesado la reacción internacional ante el llamado al plebiscito.

El viernes, el diario *Washington Post* abordó el tema en un editorial.

"La larga dictadura de derecha en Chile llevó a cabo un voto sobre su gobierno, perdió y acordó retirarse. ¿Por qué la dos veces más larga dictadura de Cuba no efectúa y acepta los resultados de un plebiscito similar?", preguntó el *Washington Post*.

Un grupo de intelectuales cubanos, que efectuaron una charla con la prensa el miércoles en la isla, respondió a través de un vocero gubernamental que "el pueblo cubano sostuvo un gran plebiscito concerniente a su destino hace 30 años y el pueblo repite esa acción cada día en su decisión de continuar con el socialismo".

En Miami, el presidente del Comité Cubano Pro Derechos Humanos, Ricardo Bofill, dijo que los activistas en la isla le han informado que la ciudadanía espontáneamente se acerca a los activistas del Comité para ofrecer su firma en apoyo al plebiscito demandado por los intelectuales.

Entre las figuras que se han sumado a la carta de París se encuentran Eli Wiesel, premio Nobel de la Paz, la diseñadora Paloma Picasso, el cineasta David Lynch y el gobernador de Puerto Rico, Rafael Hernández Colón.

Los redactores de El Nuevo Herald Ana E. Santiago y Pablo Alfonso contribuyeron a esta información.

Wastington Dec. 31 1988.

THE WASHINGTON POST, SATURDAY, DECEMBER 31, 1988

Cuba's Return to Senders

A Scornful Response to Call for Referendum

By Julia Preston
Washington Post Foreign Service

HAVANA, Dec. 30—An open letter to President Fidel Castro calling for a plebiscite on his rule over Cuba has provoked an unusual rush of indignant responses from intellectuals, artists and lawmakers here—but only for overseas consumption.

For Cubans at home, the government has tried to pretend it never happened.

The letter, which came a gray-bearded Castro is celebrating 30 years in power, was signed by European and American artists and intellectuals and prominent Cuban exiles—more than 170 names in all. Actor Jack Nicholson author Saul Bellow and writer Susan Sontag were among the signers. It appeared in full-page ads Tuesday in 18 newspapers around the world. It urged the referendum "following the recent example of Chile," where voters this year told rightist President Augusto Pinochet they wanted an end to his 15-year hold on their nation.

Foreign journalists who came to cover the anniversary festivities here were regaled with not one but two press conferences Thursday by Cubans keen to decry the letter.

At noon Roberto Fernandez Retamar, head of the government's main publishing house and senior guardian of Cuba's official cultural conscience, called Pinochet an "assassin" and dismissed the letter as "fouled" by the comparison between Cuba and Chile.

Fernandez Retamar said the Cubans who signed were "worms" who "would applaud the establishment of fascism in the whole world." He acknowledged that there were some names on the list "we wish were not there," without saying which ones, though he said they had no business meddling in Cuban affairs.

"I wonder if they even know where Cuba is," he said.

Later Thursday the dean of Havana University's Law School, Julio Fernandez Bulte, took a more erudite approach. He rattled off chapter and verse about an array of indirect, communist-controlled elections in Cuba over the past 12 years in which Castro was ratified several times as president.

"Fidel is not where he is because he's a guerrilla hero. He's there because he inspired enough public confidence to be elected repeatedly to his post," Fernandez Bulte said in a blaze of oratory.

He capped his argument asserting that Castro is such a historical colossus that he can't be judged by "simple electoral processes."

Another Cuban constitutional expert, Jose Peraza Chapeau, compared Castro to the pope, who he noted is also chosen for a lifetime job by indirect election.

The sometimes stormy press conferences lasted nearly six hours. At the end 119 Cuban artists and writers released their own letter to say, "Dear Fidel...Everyone should know that we, who are also dream makers like you, are with you today and always."

Of the whole production, the only thing that surfaced in Cuba's rigidly controlled press today was this second letter, printed in the Communist Party daily Granma with no explanation of its origin. Like a game of international political "Jeopardy," Cubans got the answer but had to guess the question.

Western diplomats here are taking the reaction as a sign that the letter stung Castro and his government more then they would like to let on.

The episode also was a test of Radio Marti, the four-year-old U.S. government station broadcasting to Cuba. Marti has been blasting away with the story of the letter in hourly newscasts for the past three days.

It would seem that lots of Cubans, at least in Havana, were listening. At a newsstand downtown several Cubans who picked up their morning papers said they knew about the international letter. When asked how they found out, they smiled coyly. One man rolled his eyes to the sky.

Santo Domingo.

EDITORIALES

LA CARTA DE FIDEL

Un grupo de destacados intelectuales de Europa y Norteamérica, al que se unieron figuras representativas de América Latina han solicitado al dictador cubano Fidel Castro, que imite al General Augusto Pinochet, y convoque a un plebiscito mediante el cual el sufrido pueblo cubano pueda autodeterminar si desea o no, que continúe ejerciendo el poder el señor Castro y para el caso que triunfare el no, éste convoque a elecciones y conceda a sus conciudadanos los derechos consustanciales a toda democracia a fin de que éstos puedan disfrutar de un proceso electoral rodeado de garantías, tal como acaba de suceder en la hermana República de Chile.

Fidel Castro desde hace 30 años ejerce en Cuba la suma de todos los poderes, lo que ha hecho de manera arbitraria y despiadada, cuyo resultado ha sido que más de dos millones de cubanos vivan en el exilio, miles de hombres y mujeres sufran prisión en la ergásculas del castrismo, otros tantos hayan pagado con sus vidas en los paredones de fusilamiento, centros de tortura y campos de concentración la osadía de revelarse contra el tirano y que Cuba se haya convertido en una gran cárcel, que todos sus habitantes desean abandonar.

Ya voceros del tirano han dicho ¡NO! a la solicitud del plebiscito formulada por hombres amantes de la libertad, lo que era de esperarse porque la ausencia de comicios libres es una característica de todo régimen Marxista-Leninista y el Leninismo, que tuvo su más cabal expresión en las ejecutorias sanguinarias de Stalin, tiene en el castrismo un fiel continuador.

La carta-solicitud del plebiscito a Fidel Castro, marca un hito en la lucha que se libra para llevar la libertad al pueblo de Cuba, porque estamos seguros de que más y más hombres y mujeres libres del mundo continuarán demandando que el pueblo cubano pueda autodeterminarse y expresar mediante el uso del voto si desea ser libre o continuar aherrojado por las cadenas de un régimen tiránico y brutal, que maneja a su antojo desde hace 30 años un hombre carente de todo escrúpulos.

Horizontes, pag. 6. República Domincana. Santo Domingo, diciembre de 1988.

Fidel se reafirma en el marxismo leninismo

Cuba rompe con la «perestroika» y rechaza la sugerencia de celebrar un plebiscito

Román Orozco *(env. esp. a La Habana)*

UNA indignada funcionaria ministerial gritó a las puertas del salón *Solidaridad:* «Ives Montand ha sido siempre un reaccionario.» Un compañero suyo añadió: «Fellini es un comemierda.»

Irritados, profundamente irritados por no decir algo más fuerte. Así estaban dos de los encargados de atender a los periodistas occidentales llegados a La Habana para cubrir los actos centrales del XXX aniversario del triunfo de la revolución, minutos después de una conferencia de prensa protagonizada por media docena de diputados de la Asamblea del Poder Popular, el «parlamento cubano» que celebra sesiones dos veces al año, dos o tres días.

Y es que en el *salón de la Solidaridad,* del hotel Habana Libre, los diputados cubanos habían sudado la camisa para defender lo indefendible: que el sistema electoral cubano es igual que el norteamericano o al británico. Que en los tres eligen a su mandatario de forma indirecta.

Todo transcurría tranquilo en La Habana hasta que llegó la noticia vía Radio Martí, la emisora de los Estados Unidos que bombardea sistemáticamente Cuba desde Washington.

Se había convocado a los periodistas en el citado salón de conferencias para dar cuenta del programa de los actos conmemorativos del XXX aniversario. Este corresponsal solicitó en el turno de preguntas un comentario al documento que dos centenares de intelectuales del mundo occidental habían firmado y distribuido el día anterior en el que se instaba a Castro a promover un referéndum para continuar o no en el poder. La contestación: «ese referéndum se hizo hace treinta años».

VARIACION DE PROGRAMA. Ahí comenzó todo. Y ahí comenzó a variar el programa previsto para conmemorar los 30 años de la entrada triunfal de los comandantes Ernesto Che Guevara y Camilo Cienfuegos (los dos muertos ya) en La Habana, y Fidel y Raúl Castro en Santiago de Cuba.

Castro, que desde luego demostró en Sierra Maestra ser un buen estratega, había planeado esta vez la celebración cuidadosamente. Desde el punto de vista de su prestigio internacional, había subido algunos puntos tras sus visitas a Quito y México, para asistir a las tomas de posesión de Rodrigo Borja y Carlos Salinas respectivamente.

Nueve de sus generales acaparaban cámaras y focos en Nueva York a finales de diciembre como protagonistas de la firma del acuerdo tripartito por el que Namibia logrará la independencia este año. Los 50.000 soldados de Fidel en Angola se retirarán con más gloria que pena. Ha ganado una batalla a miles de kilómetros de casa y obligado al arrogante Gobierno sudafricano a dejar libre a Namibia y acabar con su acoso al régimen marxista de Angola.

Los primeros invitados para la celebración del XXX aniversario de la revolución habían llegado. George Marchais, secretario general del Partido Comunista Francés, entre los primeros. Los periodistas comenzaban a tomar sus posiciones en hoteles y sala de prensa. Y fue entonces cuando se difundió la noticia del documento de los intelectuales occidentales.

En La Habana se desataron los nervios y los segundones comenzaron a calentar el ambiente. La duda estaba

GAMMA
Para el gobierno de Fidel Castro, Federico Fellini es un comemierda y Mario Vargas Llosa y Octavio Paz son unos petimetres avergonzados del delantal indio de su madre...

Para el periódico oficial «Granma» Vargas Llosa y Octavio Paz son unos «petimet...

Cambio 16, enero 1, 1989. España.

puesta en Fidel: ¿Qué diría Fidel el día 1, en el discurso central de los actos conmemorativos?

Dijo lo que tenía que decir: que su revolución no sólo va a durar diez, cuarenta, sesenta años, sino cien. Que «se engañan los que piensan que la revolución será abatida», que el tradicional grito de «Patria o muerte, venceremos» con el que cierra todos sus discursos, hay que cambiarlo por el de «Socialismo o muerte, marxismo leninismo o muerte, venceremos».

Fue la apoteosis de los centenares de invitados y ciudadanos de Santiago de Cuba cuando escucharon a su líder afirmar de forma tan rotunda que el pensamiento marxista leninista jamás dejará de ser guía y antorcha de la revolución cubana.

LUIS RUBIO

GILBERTO VILLAMIL

gonzados del delantal indio de su madre».

Con estas palabras, Fidel estaba matando varios pájaros de un tiro: primero, frente a sus socios soviéticos, a quienes les recordaba una vez más que Cuba va a seguir su propia vía hacia el socialismo, independientemente de *perestroikas*. Segundo, a los intelectuales occidentales, otrora tan fascinados por la revolución cubana, especialmente en los años sesenta, cuando gentes como Regis Debray, el filósofo francés amigo del Che, o el propio Ives Montand, el actor que ahora firma el documento anticastro, eran grandes propagandistas del régimen instaurado por los barbudos de Sierra Maestra.

Fidel no quiso citar a esos intelectuales por su nombre. Simplemente se refirió a «estos tiempos de confusión, en los que nuestra revolución tanto asusta a los reaccionarios en el mundo, que tanto asusta al Imperio».

Era suficiente. Fidel quería ser prudente en el verbo y de hecho lo fue. Ya sus ayudantes se habían ocupado de *bombardear* a los que piden un referéndum como el que el dictador chileno Augusto Pinochet ha celebrado en su país, a los que solicitan elecciones libres y sugieren que la oposición pueda entrar en la isla a hacer campaña en los mismos medios que el Gobierno.

¿QUIEN PIDE EL PLEBISCITO? *Granma*, el órgano oficial del Partido Comunista Cubano (PCC), un periódico con 700.000 ejemplares de tirada diarios, había escrito veinticuatro horas antes de la intervención de Fidel que «en una grosera operación» pagada por la Agencia Central de Inteligencia (CIA) de los Estados Unidos, en donde figuran más de «sesenta *gusanos*» (cubanos exiliados en Miami), se pedía un plebiscito en Cuba. Y lo pedían, dice Granma, «un policía de la época de Batista como Armando Valladares» «el terrorista al servicio de la CIA Eloy Gutiérrez Menoyo», «el corrector de pruebas Carlos Franqui», esos «petimetres avergonzados del delantal indio de su madre Mario Vargas Llosa y Octavio Paz», o «Eugenio Ionesco, que lleva décadas cobrando de la nóminas de Washington».

Los insultos los soltó el Granma y los diputados de la Asamblea del Poder Popular sentados en el salón *Solidaridad* colocaron «el cuerpo doctrinal».

Explicaron que el Consejo de Estado, que preside Fidel, es elegido cada cinco años por los diputados de la Asamblea del Poder Popular, quienes a su vez son elegidos en sus municipios. Así, el presidente del Consejo de Estado, que tiene la responsabilidad de ejercer como jefe de Estado, es elegido cada quinquenio. Fidel se ha sometido a esa elección dijeron los juristas, tres veces desde que se aprobó la Constitución en 1975.

Pero además, añadieron, si es lícito preguntarse que una persona pueda permanecer durante treinta años en el poder, esa pregunta no sirve en el caso de Fidel Castro, por los méritos que en su persona concurren. «Cuando se trata de un líder que ha puesto su vida en juego —decían—, esa pregunta es ociosa.»

Pero es más: «En una urna silenciosa, con el fusil en alto, listos para dar la vida por enfrentarse a la primera potencia del mundo, son verdaderas elecciones».

SISTEMA ELECTORAL PECULIAR. Se recordó que nadie cuestionaba la licitud de que un presidente americano sea elegido por sólo el 40 por ciento de la población, mientras que el 95 por ciento del pueblo cubano aprobó la Constitución que desarrolla su particular sistema electoral.

Como ejemplo argumentaba que dos millones de fusiles están distribuidos en colegios, fábricas y aulas universitarias. Que cada uno tiene doscientas balas y a veces sólo están custodiados por un viejecito y un pequeño candado. «Cuando nadie va por ellos, es porque están con la Revolución», concluyeron.

¿Y por qué extrañarse de que Fidel lleve treinta años en el poder? ¿Cuestiona alguien que el Papa, que es elegido por un comité que no ha sido elegido por nadie, sea elegido de por vida?

Está claro que no, dicen los cubanos. Unos cubanos, los de la sala *Solidaridad* que se mostraron más papistas que el Papa, justo cuando uno de sus enviados desde el Vaticano, el francés Roger Etchegaray, estaba en La Habana preparando un viaje de Juan Pablo II a la isla, el único país de América Latina que no ha visitado todavía.

Monseñor Etchegaray, de origen francés, ha tenido un encuentro con Fidel «de hombre a hombre», como él mismo decía, y «nos hemos puesto de acuerdo en lo esencial».

Ese es el futuro que ahora mira Cuba: hacia el Vaticano y la posible visita del Papa y hacia Moscú y la cita que Mijail Gorbachov tiene en La Habana. Ambas pueden sacar a Fidel del atolladero. Aunque fuentes diplomáticas norteamericanas creen que el veterano dirigente tiene un as en la mano: liberar a medio centenar de presos políticos, siempre que Estados Unidos les dé visado para residir en aquel país.

El año 31 de la revolución, como ha sido oficialmente bautizado, promete ser apasionante, con insultos incluidos. ■

Diario las Américas, enero 1/1989

Miami.

Repercusiones en España de la carta abierta a Castro

Por ALBERTO MIGUEZ
(Especial para DIARIO LAS AMERICAS)

MADRID.— Los medios de comunicación del gobierno español han informado a destiempo y con evidente mala gana sobre la Carta abierta enviada por más de un centenar de intelectuales, universitarios y artistas de todo el mundo a Fidel Castro, pidiéndole la celebración de un plebiscito para que el pueblo cubano se pronuncie sobre su permanencia en el poder.

Mientras que los medios de comunicación privados en su inmensa mayoría han otorgado a la Carta (conocida en España como "Manifiesto de París") gran importancia, la Televisión Española (TVE) y Radio Nacional (RNE) han preferido ignorar el hecho y sólo hicieron referencia al mismo para criticarlo o para hacer pública la réplica de la dictadura castrista.

Ayer, por ejemplo, TVE en su informativo nacional emitió una crónica de su enviado especial a Centroamérica, Manolo Alcalá, que estos días se encuentra en La Habana, donde se daba la palabra a un profesor universitario y a un escritor (Miguel Barnet) para que criticasen el contenido de la Carta Abierta. Alcalá, que es un conocido reportero reconoció, sin embargo, que el pueblo cubano no había podido conocer el contenido de la Carta porque los medios de comunicación del régimen no la publicaron.

Una alta personalidad del gobierno español reconoció días pasados que la Carta había hecho reflexionar a muchos "castristas sentimentales", sobre la verdadera naturaleza del régimen cubano. Esta misma personalidad reconoció que el gobierno español estaba consciente del carácter totalitario del régimen de Castro aunque prefería mantener los vínculos diplomáticos, económicos y culturales porque "su aislamiento lo haría todavía más feroz".

TVE atraviesa en los últimos tiempos una grave crisis ante la salida al parecer muy próxima, de su Directora General, Pilar Miró, que debió restituir cantidades elevadas de dinero ilegalmente sustraídas del presupuesto para compras privadas. La señora Miró, militante socialista y amiga personal del presidente del gobierno, fue denunciada por la oposición parlamentaria de utilización indebida de este dinero y probablemente tendrá que comparecer ante los tribunales. El escándalo provocó incluso la condena del Partido Socialista y la dimisión de la propia señora Miró. El presidente del gobierno, en un gesto más de prepotencia, decidió sin embargo mantenerla algunas semanas más en su puesto para demostrar que no acepta presiones ni de los medios de comunicación ni de la oposición parlamentaria. "González gobierna como un monarca absoluto y utiliza la televisión cuando le conviene para desacreditar a sus adversarios o premiar a los obedientes", dijo hace unos días un diputado del centro-derecha comentando el mantenimiento en su puesto de Pilar Miró.

Todo indica, sin embargo, que los días de la señora Miró están contados y que en la segunda semana de enero será relevada de sus funciones.

Domingo 1 de Enero 1989

DIARIO LAS AMERICAS.

Miami.

DOMINGO 1 DE ENERO DE 1989 / EL NUEVO HERALD 3A

Associated Press

Fidel Castro habla de los logros de la revolución cubana el viernes en un acto en el hospital Miguel Enriquez de La Habana

Granma ataca a personalidades

La Habana —(AFP)— La carta abierta de personalidades de las artes y las letras pidiendo un plebiscito en Cuba fue calificada el sábado de "infame operativo de propaganda negra" por el diario oficial *Granma*, que tilda a Mario Vargas Llosa y Octavio Paz de "seres tan reaccionarios como avergonzados del delantal indio de sus madres".

El diario señala que la carta se publicó en 18 diarios de América Latina, Estados Unidos y Europa, pero afirma que "la verdadera paternidad intelectual y material de ese operativo recae por entero sobre los servicios especiales del gobierno de Estados Unidos, sobre la Agencia Central de Inteligencia".

El largo comentario editorial del vocero del Partido Comunista cubano destaca entre los firmantes europeos al dramaturgo Eugenio Ionesco, quien, según *Granma*, "lleva décadas cobrando en las nóminas de Washington".

Granma dice que entre los firmantes "figuran más de 60 gusanos de origen cubano que optaron en su momento por la sociedad imperialista. . . apátridas que han hecho del frenesí anticubano un suculento modo de vida".

"Haría falta un equipo multidisciplinario de científicos para desentrañar las motivaciones de ese diverso zoológico", agrega.

Hay también "momias de la política republicana como Felipe Pazos o Raúl Chibás", así como "ese derelicto humano que lleva el nombre de Ricardo Bofill", "el ex policía batistiano Armando Valladares" y "un aventurero como Carlos Franqui", precisa.

El vocero del partido cubano califica al gobernador de Puerto Rico, Rafael Hernández Colón, recientemente reelecto para un tercer período y adherente a la carta, de "tamaña aberración".

Hernández Colón, afirma, "se permite hablar de plebiscitos y consultas populares cuando él no tiene autoridad ni para otorgar visas". Las visas para entrar a Puerto Rico las otorga Estados Unidos.

En "la fauna grotesca" de firmantes "tristemente han aparecido", comenta el diario, "algunas personas de las que hasta ahora no existían motivos para poner en duda su decencia. No se excluye que algunos hayan sido sorprendidos en su buena fe porque ignoraban que se verían de repente en un estercolero político".

Según *Granma*, los firmantes de la carta "establecen una repugnante comparación entre las situaciones de Chile y de Cuba" y "ofenden con ello las fibras sensibles del pueblo cubano, que siente profundo cariño, admiración y respeto por Fidel" Castro.

THE NEW YORK TIMES, MONDAY, JANUARY 2, 1989

Thirty Years of Fidel Castro

Thirty years ago on New Year's Day, Cubans acclaimed Fidel Castro as the youthful liberator who felled the corrupt tyranny of Fulgencio Batista. Today the 62-year-old Mr. Castro himself resembles one of those crabbed caudillos in the novels of his Colombian friend, Gabriel García Márquez.

Last week, an open letter from an international group of 170 writers and actors urged Mr. Castro to hold a plebiscite on his rule. "Absurd and inconceivable," retorted the Cuban Foreign Ministry, adding with dictatorial haughtiness: "Our people had a referendum 30 years ago on the day of the triumph of the revolution."

Inconceivable, perhaps, but hardly absurd. After 15 years of military rule, Chile's Augusto Pinochet submitted to a free vote last fall, which he lost. "To say that the Cuban people made their decision 30 years ago is silly and inadmissible," remarked the Mexican poet Octavio Paz, a signer of the letter. "A country does not marry its ruler, as in a religious marriage, forever." It's worth adding that two million Cubans reached a different decision with their feet, choosing exile.

Weighing the good and bad in Mr. Castro's revolution depends on whose scales are used. Sympathizers point to real gains in health standards and literacy, elimination of shaming social and economic inequalities and the assertion of a defiant sovereignty. But Costa Rica, a country with fewer resources, has built as generous a welfare state without sacrificing democracy. And in a turbulent region, Costa Rica took the truly revolutionary step of abolishing its armed forces. Cuba remains an armed camp, despite the security from military attack promised by Washington in 1962 as part of the deal for removing Soviet missiles.

No Latin country has had more long-term political prisoners than Cuba, and few Communist countries boast a more conformist and obsequious press. While reforms sweep the Soviet Union, Cuba remains rooted in stagnation. Mr. Castro opposes even small-scale farmers' markets, and in contrast with Soviet openness, his regime jams Radio Martí, the Voice of America's Cuban service.

True, Mr. Castro has given a small country a global resonance, but at the cost of thousands of casualties in African wars. The island's economy remains shackled to a single crop; its old dependence on the U.S. sugar quota has given way to a new reliance on Moscow's willingness to buy at inflated prices.

Cuba after 30 years remains poor, unfree and dependent. And a country whose economy in 1958 was among Latin America's most advanced has skidded to the middle ranks. No wonder this tropical dictator-for-life fears a real popular judgment.

(Editorial Page).

New York City Tribu
VOLUME 7, NUMBER 1. COPYRIGHT 1989 NEWS WORLD COMMUNICATIONS
401 FIFTH AVENUE NEW YORK NY 10016 (212) 532-8300
ONDAY, JANUARY 2, 1989

The New York City Tribune.

Message to Castro

Jan. 2, 1989.

The names included Peruvian novelist Mario Vargas Llosa, American authors Saul Bellow and Susan Sontag, Italian film director Federico Fellini and many others whom no one could identify with the political Right. Four of them are Nobel laureates. In all, 100 or so scientists, intellectuals and artists put their signatures Tuesday to an open letter to the Cuban government demanding that Fidel Castro, after 30 years of autocratic rule, finally permit a plebiscite.

Only a few years ago, this kind of challenge, especially from people like Sontag and other leftists, would have been unimaginable.

Why now? Why is Castro no longer being given a free ride by the wine-and-cheese set, much as Stalin was years ago and as the Rev. Jesse Jackson is today?

Some analysts have suggested that the American Left has simply tired of him. Instead of being the romantic young revolutionary of 30 years ago, a Cuban "Robin Hood" who fired the imagination of an entire generation of 1960s leftists, Castro in his declining years excites no one and repulses many.

This is undoubtedly true. But there are other reasons as well. To begin with, prominent members of the artistic-intellectual class have finally denounced him in ways which have gotten the attention of their peers. An example is The New York Public Theater's annual *Festival Latino*. Here a documentary film, personally presented by the Public Theater's director Joseph Papp, was shown. It is entitled *Nobody Listened*, and it got the attention of its politically "progressive" audience.

It did so by showing the brutal prisons, the dreary poverty, the merciless treatment of social deviants, the rigid censorship imposed on artists and writers, and the endless executions, all of which have betrayed "The Revolution."

Furthermore, what Castro has done to Cuba is now too well-known from other sources respected in literary-artistic circles as well. As exiled Cuban writer Reinaldo Arenas observed, after first noting the uncritical support which the intelligentsia, through the years, gave Castro: "After 30 years of dictatorship, with 10 percent of the population living outside Cuba, with Castro's troops in Africa and people in Cuba going hungry, the situation is so horrible that at this moment almost no intellectual believes Cuba is a solution for problems in Latin America and the Third World."

The open letter with which the 100 notables have confronted Castro is a powerful indictment. It reminded him that dictatorships as Chile's have, after many years, finally elections. Why, it asked, cannot Cuba d same?

In addition, the letter requested the na of a neutral international commissio oversee the plebiscite on whether Castro s continue in power, the releasing of all po prisoners, the suspending of laws prevent free expression, the permittin return to the island by exiles and their together with other dissidents, to mou political opposition through the media, an legalizing of human-rights committees in

It concluded by saying that if the C people, through the plebiscite, declared they wished Castro to leave office, tha would be incumbent upon you to respec will of the majority by giving way to a p of democratic openness and promptly ca an election where the Cuban people could elect its leaders."

Like other tyrants, he has rejected elec from the very beginning of his rule. Alth he made promises to hold them, both b and after he asssumed power, Castro has done so. In the style of all other Ma Leninists, he is not about to permit criti let alone an election which could topple

Castro is thus like any other strong Authority and power are all. Some ana believe his fear of losing control explain recent retreat from reforms which he tiously permitted during the early 1980s. was the time when Cubans were b permitted to leave the country, an opport which 125,000 of them understand grabbed and fled to Miami during the M boatlift.

The boatlift drove home to him disaffected his people were with the quali life in Cuba. Consequently, he made ce improvements designed to placate his cr Cubans were allowed to own and sell homes, a free farmers' market opened prices dictated by supply and demand, ra than by state controls.

But the experiment was shortlived. C became troubled by the large profits individuals were making and shut them d Other reforms bit the dust as well. Comm orthodoxy gradually re-emerged.

Capitalist economic activity, like any freedom, threatens the control imposed by all-powerful Cuban state. Thus he scorns new Soviet reforms and so, of course, he also scorn the artists and intellectuals bela calling for a plebiscite.

Alemania.

Castro verteidigt die reine Lehre des Marxismus-Leninismus

30. Jahrestag der Revolution / Regimetreue Intellektuelle weisen Forderung nach Plebiszit zurück

Von unserem nach Kuba entsandten Korrespondenten Walter Haubrich

HAVANNA, 2. Januar. Die unabänderliche Treue zu den Prinzipien des Marxismus-Leninismus werde auch in Zukunft den revolutionären Prozeß Kubas bestimmen. Das hat der kubanische Partei-, Regierungs- und Staatschef Fidel Castro auf seiner Rede zum 30. Jahrestag der Revolution gesagt. Castro hob in seiner Rede mehrmals und im pathetischen Ton den marxistisch-leninistischen Charakter der kubanischen Revolution hervor. In der ersten Zeit nach dem Sieg über die Batista-Diktatur habe man aus notwendigen Rücksichten das noch nicht offen erklären können. Marxismus-Leninismus oder Tod, rief Castro am Ende seiner knapp zweistündigen Rede in Santiago de Cuba, wo die Revolution zuerst erfolgreich war, aus. Castro erwähnte die Perestrojka, die er für Kuba ablehnt, nicht direkt, doch seine starke Betonung der marxistisch-leninistischen Orthodoxie zeigte seine Distanzierung zu dem von Gorbatschow in der Sowjetunion eingeschlagenen Kurs. Die marxistisch-leninistische Revolution in Kuba stehe wie ein heller Leuchtturm in dieser Welt, sagte Castro vor Vertretern der kommunistischen Organisationen seines Landes und ausländischen Delegierten, vorwiegend Vertreter kommunistischer Parteien und Regierungen von Ländern der Dritten Welt. Der größte Teil der Rede Castros bestand aus einer Darstellung der Ereignisse in den letzten Tagen vor dem Sieg seiner Guerrilla am 1. Januar 1959 und ausführlichem Lob der heroischen Taten von Bewohnern der Ostprovinzen, deren Zentrum Santiago ist, sowohl in den Unabhängigkeitskriegen zu Ende des vorigen Jahrhunderts wie im Kampf gegen Batista.

Castro war am Sonntag nach Santiago geflogen, nachdem er die Nacht bei einer Neujahrstagfeier im Hause des Nobelpreisträgers García Márquez in Havanna verbracht hatte und dort bis zum Sonnenaufgang mit Intellektuellen und Schriftstellern seines Landes diskutiert hatte. Regimetreue kubanische Intellektuelle und Schriftsteller hatten zwei Tage zuvor in einem Treuebekenntnis zu Castro die Forderung der hundert europäischen, nord- und lateinamerikanischen Intellektuellen eines Plebiszites in Kuba scharf zurückgewiesen. Der Brief der hundert Schriftsteller und Intellektuellen, unter ihnen Fellini, Grass, Oktavio Paz, ist in Kuba nicht veröffentlicht worden, doch wurde er in Kreisen, in denen er zugänglich war, viel diskutiert. Am Abend des Neujahrstages zelebrierte der französische Kardinal Etchegaray zusammen mit kubanischen Bischöfen eine Messe in der überfüllten Kathedrale von Havanna. Etchegaray sagte, der Papst habe eine Botschaft an alle Staatschefs der Welt, „sogar an den von Kuba" geschickt und diese darin zum Einsatz für den Frieden aufgerufen. Zum Kampf für den Frieden, sagte der französische Kardinal in seiner mehrmals von Beifallsstürmen unterbrochenen Predigt in Havanna, gehörte auch das Recht für die Minderheiten aller Art. Es sei sehr erfreulich, daß kurz vor Weihnachten ein Friedensabkommen für Angola unterzeichnet worden sei, doch müsse man sich um den Frieden auch Tag für Tag im eigenen Land bemühen. Jeder Mensch in jedem Land müsse alle seine Mitmenschen als Brüder betrachten und behandeln.

3 Jan 89

FRANKFURTER ALLGEMEINE ZEITUNG

Nicaragua

La Prensa, Managua, Nicaragua.

Enero 3 de 1989.

Martes 3 de Enero de 1989

Inspirados en el ejemplo chileno, un centenar de intelectuales latinoamericanos y europeos, entre ellos Federico Fellini, Susan Sontag, Octavio Paz, Ernesto Sábato y Mario Vargas Llosa, pidieron a Castro un plebiscito para que el pueblo cubano pudiese decir "SI" o "NO" a la prolongación de su ejercicio del poder.

A las 48 horas, 100 intelectuales cubanos, respondieron diciendo que ese plebiscito "sería innecesario".

Entre los firmantes destacó la ausencia de Amaury Pérez, uno de los cantantes antillanos más conocidos de la actualidad.

OPINION

By John Hughes

New York.

Castro's High-Stakes Game

FIDEL CASTRO celebrated the 30th anniversary this week of Cuba's revolution, a hard-line Marxist anachronism in a fast-changing communist world, beset by problems at home and abroad.

But nobody should write Mr. Castro off. He has always been a high-stakes player in the world of international politics and he is currently embarked on just such a gambit.

It involves particularly his relationship with his principal ally, the Soviet Union.

The relationship is strained.

The chemistry between Castro and Soviet leader Mikhail Gorbachev is not good. When Mr. Gorbachev cut short his recent visit to the United States to return to stricken Armenia, he also canceled his scheduled trip to Cuba – thereby avoiding a Castro-planned reception designed to humiliate him. Ordinarily for such a visit, Castro would have pulled out all the stops. Workers would have been mobilized for the arrival and departure ceremonies and given the day off. Instead, the celebrations organized were low key.

Castro considers Gorbachev the new kid on the communist bloc and has a contempt for his reformist policies of *perestroika* and *glasnost*. News of these reforms has been withheld from the Cuban public.

Fidel Castro preaches hard-line Marxism, particularly in the economic sphere. He argues for austerity when much of the rest of the communist world is seeking easier living, and seems addicted to Albanian-style communism.

In turn, Castro has been rebuffed by the Soviets in his major foreign venture – Angola. During the course of negotiations on the withdrawal of Cuban troops from Angola, each time the Cubans dragged their feet, Soviet diplomats in the wings nudged them toward withdrawal. Those in a position to know say the Soviets have also sent direct signals to the South Africans, assuring them that the Soviets will keep the Cubans under control, and on the withdrawal track.

In theory, this alienation between Cuba and the Soviet Union should be worrying to Castro. At a time when tensions between the US and the Soviet Union have lessened, Cuba could become increasingly irrelevant to Moscow.

But Castro, according to those who know him, thinks he holds a trump card. Two thousand Soviet electronics experts in Cuba throw an elaborate eavesdropping net across the US. Castro believes the Soviets are unwilling to abandon this surveillance post, or the submarine-servicing facilities that Cuba offers the Soviets.

Castro also calculates that however strained the relationship with Moscow, Gorbachev for internal political reasons cannot afford to be seen as the Soviet leader who lost Cuba.

Moscow must weigh the pros and cons of all this at a time when Castro seems increasingly out of step with the bulk of the communist world, and at a time when his country stands out as an island of dictatorship in a surging wave of democracy.

More than a hundred of the world's leading intellectuals have signed an open letter to Castro urging him to mark the 30th anniversary of his revolution by holding free elections. They include four Nobel laureates, writers like Saul Bellow, actors such as Jack Nicholson and Yves Montand, movie directors like Federico Fellini.

Meanwhile, Castro is also playing a cat-and-mouse game with the US. He has problems at home which the US could help solve. His economy is strained and there are signs of restlessness among young Cubans, so much so that the police in Havana have been quietly building up their antiriot units. Restoration of normal relations with the US, and lifting of American sanctions on trade with Cuba might bring some relief. So Castro has been sending cordial signals to such American politicians as Sen. Claiborne Pell (D) of Rhode Island, chairman of the Senate Foreign Relations Committee, who recently visited Havana. However, Castro has given no sign of offering any concessions to the US.

Indeed, Cuba is currently accelerating, through Nicaragua, its aid to the leftist guerrillas in El Salvador. The apparent Castro calculation, again according to those personally familiar with his thinking, is that the new Bush administration will be reluctant to initiate early confrontation with either Cuba or Nicaragua.

Beset by problems, Castro may be. But that is not deterring him from playing an audacious game with both his Soviet ally and his American foe.

PERIODICO
FORMATIVO E INFORMATIVO

1784 W. FLAGLER STREET
MIAMI, FLORIDA 33135
TELF.: 642-3236

AÑO XXV MIAMI, FLORIDA, ENERO DE 1989 No. 291

RECE

REPRESENTACION CUBANA DEL EXILIO

MERECIDA FELICITACION

Nuestra sincera felicitación a los que idearon, recogieron firmas, en fín, los que hicieron posible la carta que científicos e intelectuales dirigieron a Castro demandando un plesbicito, si la carta en sí fue un gran éxito, uno mayor lo obtuvo con la respuesta de Castro que evidencia, una vez más, el galopante deterioro de sus facultades mentales.

Entendemos que ante el planteamiento de la carta Fidel tenía tres opciones. Ignorarla, declarar que aceptaba la sugerencia o impugnarla.

Con aceptarla lo que hacía era ganar tiempo que urgentemente necesita, ya que como dice el refrán "del dicho al hecho hay un gran trecho". Sabemos que él no iba voluntariamente a someterse a una consulta popular, pero con decir que la aceptaba no perdía nada, dada que la instrumentación del propuesto Plebiscito llevaría meses, tal vez años, pues siempre aparecería una razón justificativa a la que echarle mano.

¿Y que ganaba con ello?

¿Y si en esa espera muere o pierde el poder Gorbachev y lo recuperan los stalinistas?. Fidel sin plebiscito pero con dinero e intacta la vertebración gubernamental estaba firmemente apuntalado. Era una carta que ameritaba jugarse y que rechazó.

Pasemos a la otra opción, que no se escondiera tras ridículo antifaz y valientemente impugnase la petición alegando la democrática elección de la Asamblea del Poder Popular, la existencia de una maquinaria gubernamental con base de pueblo y otros socorridos demagógicos argumentos. Con esa actitud iniciaba una polémica, pero con unos contrincantes que le daban prestigio, Glucksmann,

Goytisolo, Arrabal, Henri levy, Octavio paz, Jean Francois Revel, Sábato, Susan Sontag, Vargas Llosa y así hasta cien, son nombres que enaltecen la contra-parte y aunque se pusieran de manifiesto insalvables diferencias el hecho que le hubieran ofrecido la alternativa favorecía su imagen.

Castro no ignoró la petición, ni la aceptó, ni la rechazó, ¿que hizo?, lo inconcebible, el mismo contestó la demanda-ya que el que ordena es él y pobre de aquel que hubiera osado responder sin su consentimiento previo- pero no la firmó, dejando esa rúbrica a un "oficial clase quinta" con el propósito de demostrarle objetivamente a la intelligentsia el desprecio que siente tanto por ella como por su gestión.

En el más apartado rincón del mundo se ha comentado la carta, no por su contenido sino por quienes la firmaron, ya que cualquier idea que defiendan o causa que propicien, sus firmas ganan la atención de todos los que admiran la capacidad intelectual o científica que los ha llevado al pináculo de la fama.

En cuanto las firmas de cubanos que aparecen al final del documento carecen de importancia ya que el mundo sabe que estamos profundamente heridos, que la pasión muchas veces opaca la inteligencia, que sentimos por Castro un odio infinito que vivirá eternamente alentado por el recuerdo de sus baños de sangre, que con él jamás podrá haber una reconciliación, pero las otra firmas, las que encabezan la carta, son de extranjeros que no han tenido que padecer directamente el castrismo y por lo tanto más serenos e imparciales que nosotros para demandar una justa medida.

No haremos referencia al Plebiscito de hace 30 años recordado por Castro, ni al simbólico que, según él se celebra diariamente, porque preferimos dedicar ese espacio a temas serios, pero no sin antes hacer la observación que a Fidel al hablar de Plebiscito se le olvidó mencionar uno y muy significativo por cierto el que escenificaron más de 10,000 cubanos en unos cuantos metros cuadrados pertenecientes a la Embajada del Perú.

NOTICIAS AL CIERRE

Fidel Castro

El 'NO' Cubano

'Ese Hombre Está Loco'

Por Santiago Oms
NOTICIAS DEL MUNDO

Informes provenientes de Cuba llegados a nuestra redacción y datos obtenidos mediante entrevistas realizadas a numerosos cubanos que han llegado al exilio y a otros que han ido a visitar a familiares, señalan que la canción *"Ese Hombre Está Loco"* llegó a ocupar el primer lugar de popularidad en la Isla y luego fue censurada por orden de Fidel Castro. Su compositor y los integrantes del grupo musical que la interpreta "Monte-Espuma" fueron detenidos. La misma se ha convertido en un himno de protesta contra el sistema comunista.

Igualmente expresan que por doquier el pueblo ha plasmado su respuesta al plebiscito que más de cien intelectuales pidieron a Castro que realizara para que el pueblo decidiera con un SI o un NO si debía seguir en el poder o convocar a elecciones.

La palabra NO, está puesta en fachadas, centros estudiantiles, comerciales, como una respuesta del odio que la población siente por Castro y el régimen que él encabeza.

La canción *"Ese hombre está loco"* cuyo autor es Fernandito Robles, hijo de los populares artistas Fernando Robles y Xiomara Rivero, logró imediatamente ser captada por el pueblo, que la hizo suya como una forma de manifestar su inconformidad y protesta contra la dictadura.

Castro inmediatamente se

Pasa a la página 4-A

Ese Hombre...

(Viene de la primera pag.)

dio cuenta que el mensaje estaba dirigido a él y ordenó censurarla. Fue entonces cuando el pueblo cubano siguió escuchándola a través de Radio Martí y, sintiéndose presionado por la continua transmisión de la misma, Castro dejó en libertad a los integrantes del grupo Monte Espuma, nombre que lleva la agrupación en honor a unos versos de José Martí, titulados así.

La letra de la canción es la siguiente:

Ese hombre está loco, se volvió loco; su mente lo ha llevado al precipicio del absurdo.
Ese hombre está loco, se volvió loco, la vida lo ha apartado poco a poco de las gentes.
Ya no sigue tan lindo, ya no. Sólo siente que el mundo está debajo de sus pies.
Ese hombre esta loco. Quiso soñar de más. Mientras mariposas perseguian otros hombres, él creyó que la tierra se debía a la guerra.
El creó un altar, él creó un enemigo que en realidad era amigo. Un amigo más.
Ese hombre está loco. Mas no quiere morir. Sus hijos lo reclaman en el mundo de los vivos.
Mas no lo atan sus hijos. Ni tampoco el destino. Mas no lo ata la vida, ni tampoco el amor.
Ese hombre está loco. Quiere esperar el fin, pues tiene fe que éste llegue antes que el infierno. Y mientras él espera, otros desesperan, otros hacen lo mismo; lo mismo que él; otros también están locos, quieren esperar el fin.
Ese hombre esta loco (se repite).

Es tal la [illegible] se canta en baja [illegible] los hogares. Recientemente durante la proyección de la película "Tiburón" en el cine Payret de La Habana, cuando antes de dar comienzo a la popular cinta cinematográfica norteamericana se proyectó el noticiero ICAIC y apareció —como es usual en el mismo— la figura de Fidel Castro, cientos de personas que se encontraban en el cine comenzaron a cantar *"Ese hombre está Loco"*, fueron encendidas las luces y una brigada especial de la Policía se presentó en el teatro y hubo decenas de arrestos, golpes y lesionados.

También recientemente fue soltado un caballo en la llamada Plaza de la Revolución cubana, con un cartel que decía: "si me empujan, me caigo", en alusión a Castro.

Cada día los jóvenes, a pesar de haber nacido y crecido dentro del sistema junto al pueblo en general, manifiestan de diversas maneras, desafiando la fuerte vigilancia y represión imperantes, su inconformidad por la violación de los Derechos Humanos, la falta de libertad, de artículos de primera necesidad y su condena al régimen que ha llevado a la destrucción y el caos total a la otrora "Perla de las Antillas".

Igualmente cada día son reportados incendios sospechosos por doquier en fábricas, establecimientos públicos y dependencias del gobierno.

Noticas del Mundo, Nueva York.

Enero 4 de 1989.

España.

Cambio 16. enero 16 1989.

X.D.

Cambio 16, enero 16 de 1989. España.

Marxismo, leninismo y muerte

Por Xavier Domingo.

LA o interpuesta por el tirano Fidel Castro a su pueblo, cuando contemplando 30 años de dictadura, rechazó al mismo tiempo la *peres-troika* y un referéndum que se le ofrecía para encontrarle una salida medio digna, es una de los *diktats* más hipócritas y crueles del barbudo individuo, infantiloide y arcáico. No hay alternativa. No es marxismo-leninismo o muerte, sino marxismo-leninismo y muerte.

Rusos, polacos, checos, búlgaros, rumanos, chinos y *tutti-cuanti,* lo saben en su propia carne y en su propio espíritu, después de años y años de lucha por la libertad, amargada por purgas, crímenes, torturas, prisiones y *goulags.*

La iniciativa de que gentes de todo el mundo firmaran un manifiesto pidiéndole a Castro que se sometiera a un referéndum, como lo hiciera Pinochet, partió de Andalucía y de dos queridos amigos cubanos: el pintor Jorge Camacho y el escritor y poeta Reinaldo Arenas. Su propuesta tuvo un éxito considerable. Firmaron la petición muchas personas que hace apenas unos dos o tres años, no lo hubieran hecho. Es más, se hubieran negado y hubieran tildado a los que promovieron la firma de «fascistas». Estas firmas de hoy son significativas: en el plano del prestigio internacional, Castro lo ha perdido todo. El sangriento espantapájaros, traidor a los ideales de su propia lucha, está aislado. Junto con algún tópico burócrata del Este o con el sátrapa Ceaucescu, es el ultimo ejemplar de remedo de Stalin y de Hitler junto con su colega paraguayo Stroessner y lo que queda de Pinochet.

Se ha tardado en el mundo intelectual en comprender que la *ideología* (en este caso el marxismo-leninismo), no lava crímenes, persecuciones y muerte. Se ha tardado en admitir que el dogmatismo y la falta total de libertad (intelectual y económica), sólo acarrea hambre, torturas, cárceles y muerte. Ha habido que esperar hasta el 1.º de enero de 1989, treinta años después de la caída de Batista y de la entrada en La Habana de fuerzas libertadoras conducidas por el español Gutiérrez Menoyo, víctima luego del celoso Castro, cuando Gutiérrez Menoyo de nuevo intentó liberar a Cuba del nuevo dictador.

En la nueva era de distensión a la que el mundo se ha abierto, desde que un líder ruso aceptó públicamente el estrepitoso fracaso en la URSS del marxismo-leninismo, la única nota discordante ha sido la del barbudo caribeño, que, encima, tiene a su pueblo desde hace treinta años, con los productos más necesarios para la vida cotidiana, estricta y miserablemente racionados. Todo le ha fallado y de todos los fallos, él es el culpable.

Ni Franco ni Pinochet fueron tan tenaces, perseverantes y duros en la práctica de ahogar la libertad, por más tremenda y sangrienta que fuera su represión durante algunos años de su dictadura. El daño que ha hecho Castro a su país, sencillamente arrojando de él a un montón de cubanos de alto valor intelectual y profesional, que hoy enriquecen con su saber empresas y universidades norteamericanas, es imperdonable. ¡Cabe mayor sensatez que la de regalar a quien estima su peor enemigo, la mejor y mayor de las riquezas cubanas, o sea, su capital humano! Artistas, médicos, economistas, empresarios, diplomáticos, hombres de ley, ingenieros, políticos... todo lo que hoy le falta a Cuba para levantar de nuevo el país, fue enterrado por Castro o tuvo que huir para no ir a las mazmorras. Hoy son hombres libres y realizados, a menudo ricos, pero en tierra extranjera y en el exilio. Sí, el exilio cubano es el de más alto nivel intelectual y profesional de cuantos me ha sido dado conocer y tratar. Sólo un energumeno ignorante se permitiría el crimen de privar a su país de tanto talento.

RADIAL PRESS

Fidel Castro, líder cubano.

Uno de los objetivos del referéndum solicitado, era justamente el de permitir el regreso a Cuba de todo este valor humano. Fidel Castro ha preferido continuar obligando a que se le lama el posterior, que en definitiva esto es el marxismo-leninismo excluyente, segregacionista y suerte de racismo intelectual contra quienes no piensan y hablan como el Secretario General de turno.

¿Cabe recordar que se ha hablado y se premedita en las esferas socialistas una visita oficial del individuo a España? Al respecto, es más recomendable la lectura y meditación del ensayo histórico de Christian Jelen, *L'aveuglement* y subtitulado *Les socialistes et la naissance du mythe sovietique.* Apreciar la enorme responsabilidad de los socialistas y socialdemócratas franceses en la faena de hacer aceptar a la Europa democrática la dictadura, primero de Lenin y luego de Stalin, explica e ilumina tétricamente la benevolente actitud del Gobierno español y de su partido, con Fidel Castro y su régimen.

La solidaridad de los hombres libres de todo el mundo que quieran seguir siéndolo, con los hombres y mujeres de Cuba que aspiran a la misma libertad, pasa también por el rechazo de actitudes transigentes e irresponsables con respecto al opresor de los cubanos.

Castro no debe ser recibido en España. En cambio, una visita del Rey a Cuba, —de la que también se ha hablado—, del Rey que habló ante Pinochet y ante los militares argentinos de libertad y de democracia, sí que sería deseable y positivo, tanto para los cubanos de dentro como para los de fuera.

96/CAMBIO16

N.º 894/16-1-89

Miami.

Diario las Américas, enero 6, 1989.

Al Cerrar la Edición

Se adhieren 8 presos plantados en Cuba a la petición del plebiscito

Ocho presos políticos plantados históricos que permanecen aún en la prisión Combinado del Este, en Cuba, hicieron llegar a Miami una carta en la que se adhieren a la Carta Abierta que relevantes figuras internacionales le dirigieron al dictador Castro pidiéndole que efectúe un plebiscito tal como lo hizo en Chile el General Augusto Pinochet. Los ocho presos políticos que suscriben dicha carta, son: Angel L. Argüelles Garrido, Eleno O. Oviedo Alvarez, Guillermo Rivas Porta (quien llegó de Cuba el 4 de enero), Ernesto Díaz Rodríguez, Mario Chanes de Armas, Alfredo Mustelier Nuevo, Alberto Grau Sie-

(Pasa a la Pág.15-A Col.1)

VIERNES 6 DE ENERO DE 1989 DIARIO LAS AMERICAS -Pág. 15-A

Al Cerrar la Edición

(Viene de la Pág.1-A)

rra y Amado Rodríguez Fernández,.

A continuación, el texto de la carta:

Prisión Habana del Este
30 de diciembre de 1988
Ciudad de La Habana, Cuba
Presidio Político Plantado Histórico

Carta de adhesión al plebiscito:

Con gran satisfacción los presos políticos plantados hemos acogido la noticia de que más de cien personalidades de reconocido talento y prestigio internacional por su abnegada labor en el mundo de las artes, las ciencias y la cultura, han unido sus firmas en una carta histórica dirigida al gobernante Fidel Castro Ruz, donde se le pide que en el plazo más breve convoque a un plebiscito, con todas las garantías esenciales para que el pueblo de Cuba pueda expresar con entera libertad si acepta o no la forma de gobierno autoritaria que durante 30 años les ha sido impuesta por la fuerza a los cubanos de la isla.

Consideramos que tres décadas de enanejante totalitarismo, con todos los fracasos y calamidades que el poder unipersonal de un hombre carente de sensibilidad humana y de escrúpulos ha traído a nuestro país, es más que suficiente para que Fidel Castro ofrezca al sufrido pueblo de Cuba la oportunidad de decidir su propio destino a través de un plebiscito similar al que recientemente el general Augusto Pinochet permitió que se llevara a cabo en la hermana República de Chile, en gesto inteligente que conllevará sin lacerante derramamiento de sangre, a un tránsito necesario de la dictadura militar a una democracia representativa.

El reto de los firmantes de la "Carta Abierta" es para los cubanos un vigoroso rayo de esperanza. Tiene su razón más convincente en el emplazamiento diáfano que hace a Fidel Castro para que ponga a prueba, sin métodos fraudulentos ni retórica arcaica, si el pueblo de Cuba apoya su autocracia vitalicia, su internacionalismo proletario —con su costosa experiencia y sus miles de mártires— el descalabro de la economía, las humillaciones morales y las frustraciones de toda índole padecidas durante sus 30 años de poder absoluto; o por el contrario, sin riesgo a sufrir represalias, rechace con su NO sincero la asfixiante dictadura. Sería ésta la mejor manera, y también la más justa, de buscar la verdad y establecer un compromiso sólido que obligue a respetarla bajo supervisión de los organismos internacionales adecuados.

Sabemos que nuestro pueblo tiene fuertes raíces democráticas, que ama a libertad en todas sus formas, plasmada en los 30 artículos de la Declaración Universal de los Derechos Humanos de la Organización de las Naciones Unidas, y que ansía el retorno a una orden constitucional donde cada hombre o mujer pueda, sin discriminación de ninguna índole, a un mismo tiempo que cumple con sus obligaciones sociales, gozar de los derechos fundamentales que corresponden a los ciudadanos en las naciones civilizadas y libres.

Vivimos un momento trascendental donde las decisiones han de tomarse sin vacilación alguna y en el instante oportuno. Fieles a nuestra responsabilidad histórica y a los más nobles ideales que nos llegó nuestro Apóstol José Martí, los ocho hombres que componemos en la actualidad el presidio político plantado histórico nos adherimos en solidaridad plena al documento que reclama de Fidel Castro la convocatoria urgente para llevar a cabo un plebiscito.

Para dejar constancia de esta voluntad del alma, pedimos que en la "Carta Abierta" sean incluidas nuestras firmas.

Dios bendiga a nuestro pueblo y a todos los pueblos del mundo.

Demandarán a Castro por decir que la CIA subvencionó la carta de los intelectuales sobre el plebiscito

SAN JUAN DE PUERTO RICO, Enero 5 (EFE)— Los cubanos firmantes de la "Carta de los Cien" rechazaron, las acusaciones lanzadas por el diario "Granma", de Cuba, segun las cuales recibieron subvenciones de la Agencia Central de Información de Estados Unidos (CIA) para que publicasen el citado documento.

Segun una misiva que hizo llegar a EFE el escritor cubano residente en Nueva York Reinaldo Arenas, la declaración del periódico cubano "es un insulto a la inteligencia y el sentido comun de los cubanos y de la opinión publica mundial".

Más de cien escritores y artistas publicaron en diversos periódicos del mundo una carta en la que solicitaban a Fidel Castro, un plebiscito similar al celebrado en Chile para que los cubanos decidiesen sobre la democratización del país.

Arenas acompañó la carta con fotocopias de los cheques que demuestran que la inserción de la carta en diferentes diarios internacionales fue sufragada por ellos mismos y que aún les quedan 15.000 dólares por pagar.

"La Carta pidiendo el plebiscito ha sido una noticia mundial y las noticias no se pagan", agregó el escritor cubano.

"El grupo encargado de la publicación de la carta someterá a un prestigioso tribunal internacional las pruebas de lo ocurrido en estos 30 años de poder castrista en Cuba y también las calumnias del régimen contra los firmantes, el fallo dictaminará quién dice la verdad", sostuvo ,

Reinaldo Arenas.

Arenas mantuvo que la negativa de Castro a aceptar un plebiscito sobre si los cubanos desean o no que permanezca en el poder se debe a "saber que el pueblo cubano en su inmensa mayoría votaría no".

"Es indispensable que si el voto es bueno para el pueblo de Chile, lo es para el de Cuba y cualquier otro país del mundo", precisó.

"Como en el famoso cuento del rey desnudo, la furia de Castro es que la carta pidiendo el plebiscito ha fotografiado sus 30 años de poder y fracaso, sin elecciones", afirmó el escritor.

DIARIO LAS AMERICAS
1/6/89.

Miami.

CORREO

La Junta Patriótica apoya carta abierta a Castro

La Junta Patriótica Cubana y las organizaciones que la integran, en relación con la carta abierta a Fidel Castro publicada por intelectuales, científicos y artistas de diversos países, declara:

El documento constituye un emplazamiento de resultados positivos, pues ello demostrará a los firmantes y a los gobiernos del mundo, por si algunas dudas abrigaran, que el gobernante cubano ejerce un poder totalitario que viola los más elementales derechos individuales y que no está en disposición de dar una salida democrática a su pueblo.

Servirá para corroborar las denuncias que los cubanos hemos venido haciendo durante los treinta años que ya lleva Castro detentando el poder. El impostor se ha convertido en un satélite soviético y como tal constituye un instrumento para desestabilizar al continente y propiciar que otros pueblos, como en el caso de Nicaragua, sean dominados por el colonialismo moscovita.

Sirva esta carta abierta como mensaje a los gobernantes democráticos de América para que no continúen la errónea política de consentimiento hacia el tirano, imprudencia que está facilitando que sus pueblos puedan ser sometidos a tiranías similares a la cubana.

La Junta Patriótica Cubana se adhiere al sobrio planteamiento y a las condiciones que han formulado los intelectuales del mundo libre. La carta abierta, además de constituir un acto de solidaridad con el dolor de los cubanos, ha emplazado al opresor a terminar su nefasto gobierno.

La carta abierta ha sido un éxito por la calidad y el número de los firmantes. Merecen nuestra felicitación los autores que crearon esta prueba, que pone al descubierto el mito del "redentor" de la isla del Caribe.

Dr. Manuel A. Varona
Presidente
Junta Patriótica Cubana

El Nuevo Herald, enero 6 de 1989.

ACLARACIÓN

El apoyo de la Junta Patriótica Cubana se refiere específicamente a la carta fechada en París, el 20 de diciembre de 1988, motivo de este libro. La aclaración es importante, pues el domingo 18 de marzo de 1990 un grupo de cubanos residentes en Miami dieron a conocer en el Diario Las Américas un texto titulado "En apoyo al plebiscito". Este grupo, abanderado bajo un partido político, manifestaba tener un *presidente* y un *tesorero* y pedían un plebiscito al señor Juan Escalona y demás miembros de la Asamblea Nacional del Poder Popular de la Habana (y con este fin recolectaban firmas) "en virtud de lo establecido por el artículo 86, inciso G de la Constitución de la República de Cuba, del 24 de febrero de 1976, confiriendo iniciativa de leyes a los ciudadanos". La Junta Patriótica, en documento publicado en el Diario las Américas, el 28 de marzo de 1990, rechazó rotundamente esta propuesta, alegando que "El artículo 86, acápite G de la vigente constitución cubana no otorga la iniciativa de las leyes a todos los cubanos". Por otra parte, es oportuno señalar que la constitución socialista de 1976 estipula que todos los cubanos tienen derecho a expresarse libremente *siempre y cuando no atenten contra la existencia del estado socialista...* Queda pues aclarado que la solicitud de un plebiscito neutral y libre no puede ampararse en dicha constitución que tiene, entre otros objetivos, la prohibición de cualquier partido que no sea el Partido Comunista Cubano. Un comité en apoyo al plebiscito debe, ante todo, regirse por los postulados de la carta abierta que apoyan; y en ningún momento pueden obviar los cuatro puntos señalados por la carta que son imprescindibles para que el plebiscito pueda llevarse a cabo de una manera imparcial. También, como suponen las reglas más elementales de la ética, un comité de apoyo al plebiscito debe contar y consultar a los integrantes del Comité por el Plebiscito. Un comité de apoyo al plebiscito que actúe de espaldas y de manera diferente al Comité por el Plebiscito carece de validez legal y de credibilidad y como se ampara en la constitución socialista podría incluso servirle a Fidel Castro para que el mismo realizara un simulacro de plebiscito apañado y partidista. Si el llamado "Comité en Apoyo al Plebiscito" tiene buenas intenciones y realmente lo que quiere es *apoyar* el plebiscito por nosotros solicitado, debe, lógicamente, luchar porque se cumplan los postulados de la Carta de París. Debe, como su nombre lo indica, APOYAR al plebiscito basándose en las medidas que el mismo solicita para que no sea un fraude.

DIARIO LAS AMERICAS -Pág. 3-A

MIAMI, FLA., VIERNES 13 DE ENERO DE 1989

Se solidariza la Asamblea Legislativa con el pedido de celebrar plebiscito en Cuba

SAN JUAN (UPI) — El presidente de la Cámara, José Ronaldo Jarabon presentó una resolución concurrente para que la Asamblea Legislativa se solidarice con el pedido de que se celebre un plebiscito en Cuba.

La resolución se refiere al pedido hecho en carta pública por dirigentes e intelectuales de diversos países para la celebración de tal plebiscito y señala que copia de la misma sería enviada al Ministerio de Relaciones Exteriores de Cuba y a las organizaciones de cubanos en el exilio con sede en Puerto Rico.

"La iniciativa consiste en que el pueblo cubano, con un sí o un no, pueda decidir mediante voto libre y secreto su conformidad o rechazo a la permanencia del régimen castrista en Cuba", dijo Jarabo.

EN ORBITA

El triste ajiaco de la "Intelligentzia"

Bohemia
13/1/89

Ni pupila zahorí ni lupa de Sherlock Holmes. Esa prepotencia y ese meter las narices en todo y, obsesivamente, en lo más mínimo que tenga que ver con Cuba, cualquiera conoce, sin mucho pensarlo, de dónde viene. Hay que ser un domesticado vergonzante, un tonto redomado o un infame visceral, para dejarse confundir. También se puede jugar al papel de Pangloss, aquel memorable ingenuo que Voltaire colocó como protagonista de **Cándido**. Pero, el que no tenga telarañas en los ojos descubre por elemental lógica que la llamada "carta de los cien" salió del Norte. En este texto —como se sabe— un grupo de intelectuales europeos y latinoamericanos y otros increíblemente calificados como tales, hace causa común con el enemigo público número uno de la Revolución cubana —nos referimos, claro, a Estados Unidos— y pide la realización de un plebiscito siguiendo —según ellos— "el ejemplo de Chile" para que nuestro pueblo exprese "su conformidad o rechazo" con el poder revolucionario popular instaurado hace 30 años en la Isla.

Ni qué decir hay que la diversidad de colores y sabores que se puede conformar con los que firman la carta da un ajiaco singularísimo. Se aprecia que la selección y manipulación se hizo metiendo la mano en la siempre nutridísima despensa de la **intelligentzia** extranjera, tanto como de la de origen cubano. En este segundo caso se les puede identificar por el musgo antiguo de pellejas que llevan muchos años a la sombra del imperio. Los hay igualmente que exhiben una costra fresquecita. De todo tenemos.

Con apuntar que Armando Valladares, policía devenido en un itinerante y lloroso diplomático estadounidense, aparece entre los que suscriben el documento, la manipulación anticubana queda en cueros. La nómina incluye a otros inevitables fabricantes de la nostalgia y el desarraigo como voceros de la contrarrevolución. Estos personajillos —Benítez Rojo, Franqui, C. A. Montaner, C. Leante y un sucio etcétera— están en su juego de cartas marcadas por sus capataces norteños.

Pero, lo que evidencia un desconocimiento total, fingido o verdadero —pues hay afiliaciones que colindan con el infierno— es el compadrazgo o espaldarazo de las —como dice la carta— "personalidades de Estados Unidos, Europa y América Latina" y que ha servido para que batan sus tambores los órganos de la propaganda y desinformación con asiento en Estados Unidos.

Aunque nadie ha perdido el sueño frente a este ajiaco propagandístico, en nuestro país y en el mundo la mascarada de los "cien" ya ha merecido respuestas dignas y lúcidas. Bien claras. Atinadas. Y no es nuestra intención insistir mucho más sobre el asunto. Pero, deseamos recordar algunas cosas a todos los que hicieron ayer, hacen hoy y harán mañana causa común con Estados Unidos en su feroz campaña anticubana.

La buena memoria salva, de la misma manera que perderla, hunde. Mantener una actitud de principios, dignifica. Lo contrario, desbarranca aún a los más encumbrados.

Tratar de confundir o de poner en un mismo plano a la dictadura pinochetista y a la Revolución cubana, señores, es una monstruosidad de apreciación política. Solicitar un plebiscito en Cuba es como vivir en otro planeta, ignorante de los contenidos de una democracia verdadera. La Revolución cubana no va a cambiar ni va a someterse al paternalismo malévolo de quienes siempre han querido debilitarla, desvirtuarla y destruirla. Nuestro proceso revolucionario, por socialista, vivirá en este siglo y en el que viene. Es el futuro.

La nueva sociedad, de Patria o Muerte, que se construye en Cuba, constitucionalmente, posee sus propios mecanismos para que las masas populares ejerzan el poder —ése sí es poder— y elijan periódicamente a sus gobernantes en todas las instancias, incluidas las de la Asamblea Popular en sus tres niveles —municipal, provincial y nacional—. Lo que demandan los "cien" además de un absurdo es una monumental incongruencia en el marco del aniversario treinta del triunfo de la Revolución.

Todos los procesos revolucionarios, si son verdaderos, se desarrollan naturalmente, con más violencia, o con menos. Eso depende en buena medida de la fuerza de la clase social en crisis. "La Revolución no es una idílica apoteosis de ángeles del Renacimiento, sino la tremenda y dolorosa batalla de una clase por crear un orden nuevo", advirtió hace años, llanamente, José Carlos Mariátegui.

Estados Unidos, a cuya sombra podemos colocar sin temor a equivocación la "carta de los cien", ¿olvida que a raíz de su revolución burguesa en 1776 ésta provocó una salida en estampida de gente desafecta, o confundida, o temerosa del cambio que significaba la primera independencia? Esto se olvida. Solamente en algunas de sus universidades se le alude muy blandamente.

Los ideólogos naturales del imperio, los domesticados y los "espontáneos" deben saber que aquel exilio, provocado en su momento histórico por el triunfo de Washington y otros patricios, fue mucho más grande —en proporción— que el determinado **objetivamente** por el triunfo revolucionario del 59 en Cuba y, **subjetivamente**, por la propaganda anticubana. A ellos no les interesa mucho este dato. Pero, no es malo recordárselo ahora.

JUAN SANCHEZ

Volume XXXVI, Number 1 February 2, 1989 $2.25

The New York Review of Books

FDC
51025-6
CAN. $3.00

AN OPEN LETTER TO FIDEL CASTRO

To the Editors:

In this time of fundamental changes in the Soviet Union, we believe that Cuba could also participate in this openness. We think your readers may be interested in the enclosed.

—**Reinaldo Arenas**
Orlando Jiminez Leal

New York City

Mr. Fidel Castro Ruz
President of the Republic of Cuba:

On January 1, 1989, you will have been in power for thirty years without having, so far, celebrated elections to determine if the Cuban people do wish you to continue as President of the Republic, President of the Council of Ministers, President of the Council of State and Commander-in-Chief of the Armed Forces.

Following the recent example of Chile, where after fifteen years of dictatorship, the people were able to express their view freely on their country's political future, we request by this letter a plebiscite so that Cubans, by free and secret ballot, could assert simply with a *yes* or a *no* their agreement or rejection to your staying in power.

In order to guarantee the impartiality of this plebiscite, it is essential that the following conditions be met:

1. That all exiles be allowed to return to Cuba and, together with other sectors of the opposition, permitted to campaign using all means of communication (press, radio, television, etc.).

2. The freeing of all political prisoners and the suspension of laws that curtail the free expression of public opinion.

3. The legalization of human rights committees within Cuba.

4. The naming of a neutral international commission to oversee the plebiscite.

Should the *no* prevail, it would be incumbent upon you to respect the will of the majority by giving way to a period of democratic openness and promptly calling an election where the Cuban people could freely elect its leaders.

Nestor Almendros, Victoria Abril, Fernando Arrabal, Saul Bellow, Carlos Castañeda, Camilo Jose Cela, Guillermo Cabrera Infante, Federico Fellini, Vicente Molina Foix, Juan Goytisolo, Eugene Ionesco, David Lynch, Czeslaw Milosz, Octavio Paz, Herberto Padilla, Paloma Picasso, Manuel Puig, David Rieff, Isabella Rossellini, Ernesto Sabato, Barbet Schroeder, Susan Sontag, Rene Tavernier, Mario Vargas Llosa, Elie Wiesel

February 2, 1989

Carta de senadores de EE.UU. a Fidel Castro

(N. de la R.) Siete senadores de Estados Unidos le enviaron la siguiente carta a Fidel Castro:

Sr. Fidel Castro Ruz
Comandante en Jefe
Habana, Cuba

Estimado señor Castro Ruz:

En este nuevo año deseamos expresar nuestros mejores deseos al pueblo de Cuba.

Con la elección de un nuevo presidente y un nuevo Congreso en los Estados Unidos nos complace ver que muchos conflictos a través del mundo están en proceso de resolverse pacíficamente. Las relaciones entre los Estados Unidos y la Unión Soviética han entrado en una etapa más amigable. Y, claro está, nosotros veríamos con mucho gusto cualquier relajamiento de tensiones similar con otros países.

Por este motivo, en el año del 30 aniversario de la revolución cubana, unimos nuestras voces a las de esas figuras públicas de todo el mundo que respetuosamente han sugerido la celebración de un plebiscito en Cuba.

En su reciente carta a usted, ellos decían que, "siguiendo el reciente ejemplo de Chile, donde después de quince años de dictadura el pueblo ha podido expresar su opinión libremente sobre el futuro político de su país, nosotros solicitamos... un plebiscito para que los cubanos, en voto libre y secreto, puedan expresar simplemente con un sí o un no su acuerdo o su rechazo a que usted siga en el poder".

Ellos sugerían que la imparcialidad de tal plebiscito podría asegurarse mediante:

— nombrar una comisión neutral internacional para vigilar la votación;
— liberar a todos los prisioneros políticos y suspender las leyes que restringen la libertad de expresión y de opinión;
— permitir a todos los exiliados el regreso a Cuba y hacer campaña utilizando todos los medios de comunicación, y
— legalizar los comités de derechos humanos dentro de Cuba.

Estas medidas ayudarían mucho a la creación de un clima conducente a mejores relaciones entre los Estados Unidos y Cuba.

Mucho le agradeceríamos que acuse recibo de nuestra solicitud.

Respetuosamente

Firmada por los senadores. Bob Graham, Bill Bradley, Frank Laudenberg, Connie Mack, Alfonse D'Amato, Denis D. Lorraine, John McCain.

El gallo gallego

Por Germán Arciniegas

No es por hablar mal de Galícia, pero Fidel Castro es gallego. Más bien, lo hago por el honor de Cuba. En la historia de los despotismos latinoamericanos, los de mayor resonancia internacional, a partir de aquel Juan Manuel Rosas cuyos ojos azules en marco rubio están patentes al fondo de la Argentina del Matadero, tienen algo venido de lejanas tierras. Y en nuestros días ahí están en la floresta de las dictaduras Perón cuya fronda genealógica él mismo situaba en cualquier rincón de Europa, Stroessner o Pinochet, tan ajenos a lo guaraní o lo araucano, o Castro, gallego fresco, de la misma nación de don Francisco Franco...

Este ingrediente exótico facilitará al estudioso del siglo XXI la interpretación de un personaje que se nos va de las manos a quienes venimos trabajando en cosas del mar Caribe. Cuando el emperador Christophe dice en Haití "L'Empire ce moi"?, tienen tanta validez sus palabras como las de Luis XIV, "L'Etat ce moi": hasta donde llegaban ellos, llegaban o el imperio o el estado. Y así era. Hoy los confines no son geográficos sino ideológicos y así dice, desde La Habana, el gallo gallego: La izquierda soy yo, y Quienes no están con Fidel, van a la asquerosa derecha, como en tiempos de Rosas los unitarios...

Qué es lo que ocurrirá con el grupo de los Ciento.. . Lo de Galicia comenzó con Santiago, y los de a caballo. Decía, si no recuerdo mal, Díaz del Castillo, que la conquista se debía, después de Dios, a los caballos. Venían los indios en muchedumbres, gritaba Hernán Cortés: Santiago, a ellos, y con los caballos a la estampía partían los jinetes a reventarlos. La pólvora no era sino para dar a entender que tenían los truenos y rayos amaestrados en tubos, y el trabajo menudo lo hacían los hombres bestializados. Los de Santiago. Así se pasó de los matamoros de España a los mataindios de México. En toda Europa ir a Santiago era caminar y caminar hacia Compostela con la escudilla, para llegar a la catedral donde está la gran máquina de quemar incienso. En España acercarse al santuario de los caballeros donde se velan las armas de los que mataban moros y pasaron a matar indios. El gallo gallego tuvo la nostalgia de la leyenda, oyó encantado el romance moscovita del petróleo africano con los reinos por conquistar para el comunismo y haciendo una composición a "collage" se ofreció a organizar grandes ejércitos morenos de cubanos que fueran a matar negros para hacer imperios moscovitas. ¡Santiago a ellos! Y como la izquierda soy yo, un eco universal resonó bajo sus barbas apostólicas. Quien le contradijo a la cárcel.

El grupo de los ciento que hoy le pide haga un plebiscito para que lo derrumben sabe que el gallo conoce muy bien su corralito de piedra donde los dictadores no caen con papelitos. García Márquez escribió un reportaje inmortal sobre las salidas de las tropas cubanas para Angola, que da la medida de cómo se hacen las cosas en La Habana. La cosa de ayudar a Rusia en el momento de arranque consistía en aceitar la máquina. De La Habana se enviaría un barco cargado de petróleo. No había buque tanque. Se cubrió el puente de canecas. Y la noche víspera de la partida fue de fiesta en la plaza, frente a los muelles. Se quemó toda la pólvora en cohetes. Hay que leer el cuento para sentir el suspenso... En aquel entonces, la Divina Providencia estaba con el Gallo Gallego... O sería Santiago... No pasó nada... Al día siguiente, salieron los barcos... Desembarcaron en Africa las canecas... Llegó la gasolina cubana... Se organizó el desfile militar para la celebración. Un flamante oficial iba a la cabeza mirando al cielo y las banderas, tanto que no reparando al suelo cayó en una trampa para cazar tigres... Hay que leer para creer...

Total: 300.000 cubanos de los cuales no sabemos cuántos han regresado ni cómo, ni cuántos negros se han matado ni cómo, ni cuánto marxismo hayan hecho ni cómo... Lo que ha de explicar el del siglo XXI es cómo esto es el programa del socialismo de izquierda y por qué el partido comunista de Colombia vota en contra de que se someta a plebiscito este gobierno del gallo gallego en cuya Habana se manejan los fondos de los grupos guerrilleros que se entrenan para el terrorismo, cuyos hechos atroces están produciendo la imagen de Colombia que sabemos. (ALA)

-DIARIO LAS AMERICAS JUEVES 23 DE FEBRERO DE 1989-

Congresistas de EE.UU. piden a Castro que celebre plebiscito

41 representantes y 26 senadores se unen a la campaña internacional que reclama al gobernante cubano que convoque a un plebiscito sobre su continuación en el poder

WASHINGTON, Marzo 1 (AFP) - Sendas cartas firmadas por 41 representantes y 26 senadores de Estados Unidos fueron enviadas a Fidel Castro, sumándose a la campaña internacional para pedirle que convoque un plebiscito sobre su continuación en el poder.

Intelectuales de todo el mundo enviaron a Castro una carta similar en diciembre pasado, y un nuevo mensaje con más firmas le será también remitido próximamente, según anunció ayer en México el pintor mexicano José Luis Cuevas.

Las firmas de congresistas norteamericanos fueron recogidas a iniciativa del representante Claude Pepper y del senador Bob Graham, ambos demócratas por el estado de Florida donde residen cerca de un millón de cubanos exiliados.

Las cartas subrayan que la convocatoria de un plebiscito "y la legalización de los comités de derechos humanos en Cuba, harían mucho por la creación de un clima conducente a mejores relaciones" entre Washington y La Habana.

En un plebiscito efectuado en octubre pasado, el pueblo chileno se pronunció mayoritariamente contra la permanencia en el poder del General Augusto Pinochet, quien quedó comprometido entonces a organizar elecciones libres en diciembre de este año.

La organización norteamericana de derechos humanos Freedom House señaló que, tras el plebiscito chileno y el reciente derrocamiento del General Alfredo Stroessner en Paraguay, las cartas de congresistas al presidente Castro "marcan un creciente consenso (...) en favor de una política prodemocrática consistente de EEUU en el Hemisferio Occidental".

La carta enviada a Fidel Castro en diciembre pasado fue firmada por numerosas figuras públicas, artistas, cineastas, escritores y ganadores de premios Nóbel, entre ellos el mexicano Octavio Paz, el italiano Federico Fellini, el francés Eugene Ionesco, el peruano Mario Vargas Llosa, el norteamericano Jack Nicholson y los premios Nóbel Elie Wiesel, Joseph Brodsky y Saúl Bellow.

Diario Las Américas, marzo 2 de 1989.

Diario las Américas, mayo 3, 1989.

Se suman nuevos nombres a la petición de que Castro celebre un plebiscito en Cuba

Entre los que agregan sus firmas a la petición se encuentran los legisladores Toby Roth y Chuck Douglas, así como la propietaria del diario La Prensa de Nicaragua, Violeta Chamorro

WASHINGTON, Mayo 3 (UPI) — Los legisladores republicanos Toby Roth y Chuck Douglas y la editora del diario La Prensa de Nicaragua, Violeta Chamorro, agregaron sus nombres a una carta abierta dirigida al presidente Fidel Castro exhortándolo a efectuar un plebiscito en Cuba.

Otras personas que firmaron fueron Roberto Brenes, de la Cruzada Cívica de Panamá; Mónica Jiménez, de la Comisión por Elecciones Libres de Chile, Zbigniew Brzezinski, ex asesor de Seguridad Nacional de Estados Unidos; Milovan Djilas, escritor yugoslavo, Janos Kis, editor del diario Bszelo, de Hungría y Jacek Kuron, asesor de la central sindical Solidaridad, de Polonia.

Una 150 personalidades de la literatura, las artes y la política han firmado ya la carta abierta a Castro en la que se pide un plebiscito en Cuba, tal como el que se desarrolló el 5 de octubre de 1988 en Chile.

Si se efectúa el plebiscito y prevalece el no, se debe "respetar el deseo de la mayoría llamando a elecciones para que el pueblo cubano pueda elegir libremente a sus dirigentes", dijo la nota.

"A comienzos de este año usted recibió una carta de unos 100 artistas, poetas, novelistas, ganadores de premios Nóbel, diplomáticos, científicos y periodistas. Nosotros, integrantes del nuevo Movimiento Democrático Internacional, deseamos agregar nuestros nombres a la creciente lista de quienes apoyan el concepto de genuina libertad y democracia en Cuba", dijeron los firmantes de la carta abierta dirigida a Castro.

Plebiscito en Cuba. El gobernador de Puerto Rico, Rafael Hernández Colón, se sumó a la campaña que pide a Fidel Castro un referéndum sobre la continuidad de su régimen similar al realizado en Chile.— EFE

NEW YORK·

25 de mayo de 1989

2 el pregonero/comunidad

Presidente Bush reta a Castro a dar elecciones libres y justas

El presidente de Estados Unidos, George Bush, retó el lunes pasado a su colega de Cuba, Fidel Castro, a tomar medidas "concretas y específicas para celebrar elecciones justas y libres".

"Reto a Castro a que permita que prevalezca la voluntad del pueblo", agregó Bush ante un grupo de 230 líderes cubanos que se reunieron en la Casa Blanca para celebrar el 87 aniversario de la independencia de Cuba, el 20 de mayo de 1902.

Bush pidió, también, a Castro que acepte la celebración del plebiscito que pidieron intelectuales de la isla caribeña, que permita la salida de todos los ciudadanos que quieran abandonar el país y que ponga "en libertad a todos los presos políticos".

"Mientras no se produzcan cambios en Cuba, no cambiaremos nuestra política, ni apoyaremos su reingreso a la OEA", de la que fue expulsada en 1962, añadió.

Bush advirtió que continuará financiando la emisora anticastrista Radio-Martí y seguirá adelante con el proyecto de la Televisión-Martí, porque, argumentó, "es importante que el pueblo cubano sepa la verdad".

Elogió, además, la lucha de todos aquellos que han combatido por la libertad y el respeto de los derechos humanos en el país caribeño, entre los que mencionó a Armando Valladares y Claudio Benedi, dos de los participantes en la ceremonia que fueron prisioneros de Castro.

"Hay un héroe que es mío y de nuestro tiempo. Me refiero a Valladares, que paso 20 años en las cárceles y ha escrito un libro (Contra toda Esperanza) que ha sido una inspiración para mí", afirmó.

Finalmente, Bush dijo que "los sistemas totalitarios están recibiendo nuevas presiones del pueblo en China, en la Unión Soviética y en otros muchos lugares".

"No me digan que los cubanos no quieren libertad y democracia. Lo quieren", enfatizó.

En Nuevo Herald, Miami.
Mayo 1989.

Bush apoya plebiscito en Cuba

Por MIRTA OJITO
Redactora de El Nuevo Herald

Washington — El presidente George Bush dijo el lunes en la Casa Blanca que apoyaba la idea de celebrar un plebiscito en Cuba como primer paso para la democratización de ese país.

"Yo reto a [Fidel] Castro a que tome pasos concretos y específicos que conduzcan a elecciones libres y justas. Un buen primer paso sería aceptar el

Política de Cuba. 4A.

propuesto plebiscito en Cuba", dijo Bush durante una reunión informativa con cubanoamericanos que vinieron a la capital el lunes a celebrar el 87 aniversario de la independencia cubana.

La idea del plebiscito surgió el pasado diciembre con la llamada Carta de París, firmada por intelectuales, artistas y científicos que demandan que el gobierno cubano permita al pueblo decidir si Castro debe permanecer en el poder.

El Presidente, que habló ante unos 300 entusiastas republicanos, también desafió a Castro a liberar a todos los presos políticos.

"Yo lo reto a que permita acceso, sin restricciones, a Naciones Unidas y otras organizaciones [. . .] y a que siga una política de no intervención en los asuntos internos de otros países", agregó.

Colombia.

Grandes firmas

EL HERALDO 12-II-89

Mi posición frente a Cuba

Por ERNESTO SABATO

Un número muy importante de escritores y artistas del mundo entero pidieron un referéndum en Cuba para que el pueblo decida si está o no está de acuerdo con el régimen imperante. Lo firmé a pesar de no compartir ciertas consideraciones que en esa carta se hacen, porque de no haberlo suscrito podría haber dado a entender que apruebo al gobierno cubano, y no lo apruebo.

Siempre estuve por la justicia social y por la liberación de los pueblos oprimidos, sistemáticamente he combatido toda clase de imperialismo, cualquiera fuera su signo. Pero también he sostenido que la justicia social debe estar unida a la libertad, desde que cuando muchacho abandoné el movimiento comunista a causa de las persecuciones stalinistas. Mi posición está ampliamente fundada en "Hombres y engranajes", publicado en 1951, y en "Apologías y rechazos", del año 1981. Ante cartas de personas que evidentemente no han leído esos ensayos, creo conveniente reiterar aquí lo esencial. Después de terribles experiencias a lo largo de este siglo, no se puede dudar: el fin no justifica los medios, y es trágicamente ilusorio perseguir fines nobilísimos con medios innobles.

Así, la primera condición para cualquier sociedad que se pretenda justiciera ha de ser el respeto de la persona, lo que supone en primer término la libertad. Nos dirán algunos que en las democracias sólo existe para los explotadores, lo que es absolutamente falso en naciones como Suecia, Italia, Francia y tantos otros. Además, deberíamos recordar que fue en las universidades europeas donde surgieron las grandes doctrinas socialistas. Como afirma Camus, si hoy la libertad ha retrocedido en la mayor parte del mundo es porque jamás han estado mejor armadas ni han sido más sofísticas las iniciativas de esclavización. El gran acontecimiento del siglo XX fue el abandono de la libertad por los que querían el progreso material, desapareciendo desde entonces una esperanza más en el mundo. La libertad burguesa no era toda la libertad, o no lo era cabalmente; pero de la justa desconfianza por sus precariedades se llegó a desconfiar de la libertad misma, o se la difirió para siglos futuros.

Ya sabemos a dónde condujo este renunciamiento, y es hora que admitamos que la libertad total no es algo que un día recibiremos de golpe y en su máximo esplendor, sino que debe lograrse día a día, en una lucha incesante contra los que quieren arrebatar hasta sus migajas. Porque con esas pequeñas y hasta risibles libertades podremos proseguir el camino y perfeccionar nuestras sociedades, hasta alcanzar una que a la vez nos ofrezca también la justicia social. Son muchos los hombres que quieren un mundo mejor y que han comprendido esta fundamental verdad, y entre ellos habría que citar al Partido Comunista Italiano, al que nadie en su sano juicio puede acusar de apoyar los males de las sociedades capitalistas.

La prohibición del disentimiento, la instauración del Partido Unico, la abolición de la justicia independiente y de la prensa libre, el reemplazo del Parlamento por una tragicomedia, son los rasgos esenciales de la sociedad totalitaria de cualquier signo y los recursos mediante los cuales el hombre es reducido a la condición de engranaje. Así se implanta la paz de los cementerios. Inglaterra, los Estados Unidos y, finalmente, Francia, se construyeron sobre los principios enunciados por pensadores que habían recogido toda la experiencia de la historia, la buena y la mala, para evitar que el hombre pudiera ser el lobo del hombre, al menos en la medida de lo posible. Con la inevitable corrupción que los ideales sufren cuando descienden del cielo platónico para ser puestos en práctica, hay que reconocer que el gran principio del disentimiento se ha prolongado hasta nuestros días, como para permitir que el Jefe del Estado más poderoso del planeta haya podido ser acusado por dos periodistas, luego por un modesto y desconocido juez y, finalmente, obligado a renunciar.

Los ideales se degradan en su ejercicio: la maldad y el egoísmo, la vanidad y la sed de riqueza, el insaciable hambre por el poder, ensucian y bastardean esos ideales. No ignoramos que la famosa Democracia baja a la democracia con minúscula y, por fin, a la que debe ser escrita entre comillas. Precisamente, la democracia parte de la idea que el hombre —como decía Hobbes— es el lobo del hombre, y, para colmo, un lobo corrompible y al final siempre corrupto. Sus principios están de tal manera ideados que tratan de evitar las peores atrocidades que se cometen cuando el engaño reemplaza a la verdad, la cárcel a la protesta. Esos famosos tres poderes y esa libertad de información son los instrumentos mejor concebidos para lograr que la más perversa de las criaturas vivientes haga el menor de los daños. En suma: la democracia es precaria y a menudo despreciable, pero hasta hoy no hemos encontrado nada mejor para alcanzar las futuras comunidades a las que aspiramos.

Colombia.

Grandes firmas EL HERALDO 14-II-89

Mi posición frente a Cuba (2)

Por ERNESTO SABATO

Tal vez sea Emanuel Mounier quien mejor ha respondido a nuestras preocupaciones, desarrollando y sintetizando ideas de grandes pensadores socialistas. Su "personalismo" fue una respuesta a la presión totalitaria, una defensa del hombre contra la opresión de los aparatos. Para no correr el riesgo de alentar al viejo liberalismo, asoció la palabra "persona", dialécticamente, a la palabra "comunidad". Cuando después de la segunda guerra los antiguos conceptos de esa doctrina se derrumbaron en pedazos, se intentaron dos explicaciones: para ciertos marxistas, no era sino una crisis económica, y bastaba operar la economía para curar el mal; para los moralistas, en cambio, era una crisis del hombre y sus valores, y sólo se curaría la sociedad si se estaba en condiciones de cambiar al hombre. Para Mounier, la crisis era a la vez una crisis del hombre y de las estructuras sociales. Constituía el mejor exorcismo contra el demonio de la pureza, esa pureza abstracta que presupone un bien sin un hombre que lo sustente; era la inserción concreta en un mundo de situaciones objetivas. El hombre no es un yo pensante y abstracto, está materializado en un cuerpo que pertenece a una familia, a una nación y a una época.

Este compromiso es nuestro equilibrio, neutraliza ese egocentrismo que incesantemente nos arrastra hacia Narciso. No somos "locos de la libertad", como afirmaban algunos surrealistas, pero tampoco estamos condenados a los trabajos forzados de una historia sin apelación, lo que coincide en buena medida con la concepción del mejor Marx. Esta dualidad es la que nos hace responsables. Existencialismo, personalismo y cierto marxismo se congregan así en este nuevo hombre del siglo XX, este ser alienado al que debemos devolverle su destino. Si no somos destruidos por la hecatombe atómica, será necesario ir buscando la síntesis de una realidad que los Tiempos Modernos escindieron en opuestos: el individuo y la colectividad, lo subjetivo y lo objetivo. Así podremos estructurar comunidades auténtica, no esas maquinarias sociales a las que nos hemos tristemente acostumbrado.

Quizá haya sido desafortunado que aquel individuum con que Cicerón tradujo el átomon de los naturalistas griegos excediese el dominio de la física para alcanzar el de los hombres. Así, ciertos filósofos del viejo liberalismo consideraron a la sociedad como una yuxtaposición de individuos. Y es probable que esa doctrina, basada en un yo independiente y egoísta, haya sido el correlato de la ferocidad libre-empresaria que aquellos mercaderes de la Revolución Industrial lanzaron sobre las desvalidas aldeas del Africa y la Polinesia para inyectar sus trapos y cachibaches al precio de la destrucción de arcaicas y sabias culturas. A esa mentalidad se acomodaba muy bien la acre frase de Hobbes, que veía en el egoísmo el fundamento de toda convivencia. Lo que es ominosamente pero no totalmente cierto, al menos cuando el individuo accede a la categoría de personas.

El heresiarca Fedor Dostoievsky afirmaba que Dios y el Demonio se disputan el alma del hombre, y el territorio del combate es el propio corazón de esta criatura trágicamente dual. Y en esa lucha no siempre triunfa el demonio, pues si el ser humano es capaz de las peores abominaciones, también es capaz de alcanzar las cumbres del altruismo, como en un Albert Schweitzer. Asimismo, habría que advertirle a Hobbes que "il est dangereux de trop faire voir à l'homme combien il est égal aux betês, sans lui montrer sa grandeur". Hermoso aforismo en que lo único equivocado es atribuir a los nobles leones las perversidades de las que sólo es capaz este extraño animal que es el hombre. Esta dualidad inherente a su condición misma obliga a poner las trabas societarias que limiten su propensión al mal, desde los mandamientos de las religiones hasta las leyes de las comunidades organizadas. Una ley aceptada por la comunidad y una justicia para aplicarla —independiente de los que detentan el poder físico— es lo único que puede asegurar una existencia digna.

El concepto de "bien común", defendido por los más lúcidos pensadores, es la piedra angular de cualquier sociedad que se proponga evitar tanto el egoísmo individual como los males del super-Estado; pues el bien común no es la simple sumatoria de los egoísmos individuales, ni ese aciago "bien del Estado" que los despotismos ponen por encima de la persona, y ante el cual sólo cabe ponerse a temblar: es el supremo bien de una comunidad de seres a la vez libres y solidarios. Asegurar este equilibrio es arduo, pero no imposible, como tantas veces lo ha mostrado la historia, desde aquellas antiguas congregaciones que la arrogancia europea de nuestros Tiempos Modernos llamó "primitivas", hasta algunas democracias que han logrado establecer la justicia distributiva sin echar a un lado la libertad.

The God That Failed Fidel

While the breezes of freedom surge through much of the Communist world, Fidel Castro is resolutely turning Cuba into a fortress of reaction. The latest sinister turn was the arrest of three Cuban human rights monitors, Elizardo Sánchez Santa Cruz, Hiram Abi Cobas and Hubert Jerez Mariño. Each was a leader of an unofficial group seeking some leeway for peaceful dissent; each was seized at 5 A.M. With their arrest, 23 human rights activists are now in Cuban jails.

The crackdown came in the wake of the banning of two Soviet publications, Moscow News and Sputnik — an unusual move for a country that depends on Soviet aid. An editorial in the Cuban party newspaper, Granma, accused the two periodicals of "justifying bourgeois democracy as the highest form of popular participation" and showing a "fascination with the American way of life."

That's an odd reproach, considering that Cuba's baseball-playing President is himself notably fascinated by Americans. He has turned Hemingway's house into a shrine, cultivated media celebrities like Barbara Walters and insisted that Cuba's quarrel is with Washington, not the American people. What makes the censorship of Soviet publications more curious is Mr. Castro's long record of loyally defending every gyration of Soviet policy, including labored excuses for Soviet assaults on Czechoslovakia and Afghanistan.

But the old Soviet god has now failed Mr. Castro, and infidels like Mikhail Gorbachev lead what was once the true church. Mr. Castro told Cuban party leaders last January: "Those inside the Communist Party who show themselves in favor of perestroika and glasnost are of the same clique as those dissidents out there and of counterrevolutionaries. We are not going to tolerate this deviationism."

Exiled Cuban writers, who would never have dreamed of looking for help in Moscow, now appeal to the Soviets "to persuade Fidel Castro to consider the advantages of democratization." Having raised one wall against U.S. influence, Mr. Castro must now build another to shield his people from perestroika and glasnost.

The sad end looming ahead is a Cuba sealed off along the lines of North Korea, Albania and Rumania, where a leader-for-life can endlessly publish endless speeches about his "humanist" revolution.

The New York Times, sep. 7 .1989.

El Nuevo Herald,

APOYO AL PLEBISCITO DENTRO DE CUBA

Activistas cubanos convocan a plebiscito

■ **El Partido Pro Derechos Humanos en Cuba hace un llamado a reformas políticas sustanciales.**

Por PABLO ALFONSO
Redactor de El Nuevo Herald

En vísperas de la anunciada visita del gobernante soviético Mijail Gorbachev, fue dado a conocer por el Partido Pro Derechos Humanos de Cuba (PPDHC) en La Habana, un urgente llamado para celebrar un plebiscito e introducir reformas y cambios sustanciales en la actual estructura política del país.

En un documento titulado *Declaración de La Habana 1988*, firmado por el Comité Ejecutivo del Partido que encabezan Tania Díaz y Samuel Martínez, se afirma que los 30 años de castrismo "representan una muestra evidente y más que palpable del fracaso rotundo de la elite gobernante para satisfacer las más perentorias necesidades mate-

Pasa a la página 4A

POR DENTRO

BOFILL EN WASHINGTON: REPRESALIA EN CUBA. **4A**

BERMUDEZ DENUNCIA REARME SANDINISTA. **4A.**

CUBA POR DENTRO: FUEGO EN ALMACEN. **3A.**

INDICE

SECCION A / **NOTICIAS**

LINEA DE ACCION, EL TIEMPO **2A**
AMERICA LATINA **3-4A**
NACIONALES **2A**
OPINIONES **6-7A**
FINANZAS **3B**
DEPORTES **4B**

SECCION B / **LOCALES, CLASIFICADOS**

SECCION C / **GALERIA**

Diciembre 2 de 1989.

Grupo cubano llama a plebiscito

Viene de la página 1A

riales y espirituales" de la población.

"Somos parte de un mundo donde la democracia, la justicia, la libertad y el respeto a los derechos fundamentales del hombre, han logrado penetrar la cortina de hierro que el stalinismo creó en la Unión Soviética y demás países del bloque socialista, gracias a las profundas transformaciones que el gobernante Mijail Gorbachev está llevando a cabo en favor de su pueblo y de toda la humanidad", afirma el documento.

El llamado al plebiscito alega que el pueblo de Cuba "se interesa por la derogación de la actual Constitución" y la convocatoria a "una Asamblea Constituyente donde participen representantes de todos los sectores de opinión del país.

"Tanto el plebiscito como la posterior convocatoria a la Asamblea Constituyente deben contar con la participación de todos los ciudadanos, por nacimiento o naturalización, independientemente de su lugar actual de residencia, dentro del marco de un verdadero estado de derecho", expresa la declaración.

El documento con las firmas originales de los 16 miembros de la comisión ejecutiva del PPDHC fue entregado el lunes a El Nuevo Herald por Rolando Cartaya, secretario de prensa del Comité Pro Derechos Humanos de Cuba, que preside Ricardo Bofill.

El nuevo partido fue creado recientemente, respaldado por alrededor de 10,000 firmas recogidas por el comité que preside Bofill. Sus principales dirigentes forman parte también de esa organización de derechos humanos.

La declaración reconoce la existencia de un clima de abierta disidencia interna y "considera necesario prever y evitar que el actual conflicto estalle en una acción de imprevisibles consecuencias que sumirá a nuestro pueblo en la guerra civil, el luto y la desolación".

La declaración del PPDHC ha encontrado respaldo en otras organizaciones disidentes dentro de Cuba. En un comunicado emitido en La Habana el pasado 14 de noviembre por Jorge Luis Mari Becerra, presidente de la Comisión Literaria de la Asociación Pro Arte Libre (APAL), se afirma que "luchar contra la tiranía y reclamar las urnas, es tomar el camino de los hombres justos".

El comunicado de APAL, entregado a representaciones diplomáticas, la prensa internacional acreditada en Cuba y enviado a El Nuevo Herald, circula por las calles con un llamado: "¡Al plebiscito cubanos! La hora está cerca y ha llegado el momento de reclamar nuestros derechos, pues la historia de los pueblos no se escribe con versos".

Paris, le 28 decembre 1989.

A Monsieur FIDEL CASTRO RUZ

PRESIDENT DE LA REPUBLIQUE DE CUBA

Il y a un an jour pour jour, nous vous avons adressé, sans le moindre résultat, une lettre ouverte dans laquelle nous reclamions pour le peuple cubain le droit de décider, par oui ou par non, de votre maintien au pouvoir.

Alors que la démocratisation est en cours dans les pays d'Europe de l'Est - Hongrie, Pologne, Tchécoslovquie, République Démocratique Allemande - et après l'insurrection du peuple roumain qui a coûté tant de vies, nous vous envoyons à nouveau cette pétition en espérant qu'à la lumière de ces changements, le peuple cubain pourra décider à son tour, dans la paix et la liberté, de son avenir politique.

Reinaldo Arenas.

Jorge Camacho.

NOTA: Con esta introducción se le envió nuevamente la carta abierta a Fidel Castro, desde París, en diciembre de 1989. Desde Nueva York se le envió una carta abierta a Castro, fechada el 1ero. de enero de 1990. Esta carta se dio a la publicidad el 28 de diciembre de 1989. La misma aparece entre los documentos que integran este libro.

CARTA ABIERTA A FIDEL CASTRO

Hace un año pedimos un PLEBISCITO…

Nueva York, Primero de enero de 1990

Sr. Presidente:

Hace treintiún años la llegada de la Revolución cubana al poder fue recibida por todos nosotros como un logro importante para la humanidad. Con desilusión, contemplamos cómo aquella sociedad que se imaginaba ideal hoy sufre de fracaso económico, escepticismo y represión, y se ve involucrada en el narcotráfico internacional, **en medio del mayor reto populista de la historia contemporánea: la democratización del mundo comunista.**

Es lamentable ver como usted condena esta nueva corriente de pensamiento y se aferra tercamente a una ortodoxia anticuada y represiva para silenciar a los que disienten, especialmente aquellos que informan sobre las violaciones de derechos humanos.

El 24 de noviembre de 1989 otros tres activistas de derechos humanos fueron sentenciados por su gobierno a varios años de prisión. Elizardo Sánchez, dirigente de la Comisión Cubana de Derechos Humanos y Reconciliación Nacional, Hirám Abí Cobas y Húbert Jerez tan sólo habían hablado a periodistas extranjeros acerca del juicio sobre drogas en el que participó su gobierno. Según la organización imparcial Americas Watch, estos acusados "son las últimas víctimas: hoy día más de 27 activistas de derechos humanos están en cárceles cubanas." También hay numerosos presos políticos, algunos condenados por el solo delito de tratar de abandonar el país y muchos después de haber cumplido sus largas sentencias.

Fidel, derrumba tu muro.

No podemos mirar la revolución pacífica que tiene lugar en las naciones del bloque comunista sin preguntarnos: **¿Por qué no Cuba?** Para ayudar al pueblo cubano a avanzar con rapidez rumbo a una ***sociedad pluralista,***

Fidel, derrumba tu muro.

- PEDIMOS ***la libertad de todos los presos políticos;***
- PEDIMOS ***el derecho de los cubanos a salir y entrar en su país libremente;***
- PEDIMOS ***el derecho de asociación libre,*** incluyendo la formación de partidos políticos, sindicatos independientes, así como de organizaciones religiosas y de opinión;
- PEDIMOS ***el derecho a la libertad de expresión,*** a través de prensa, radio, televisión y cine ahora bajo el control oficial del gobierno;
- PEDIMOS un ***PLEBISCITO*** sobre su permanencia en el poder, aun cuando nuestro anterior reclamo del 20 de diciembre de 1988 fue rechazado bruscamente por su gobierno.

Hace treintiún años usted se convirtió en un defensor de las libertades humanas. Hoy usted es uno de los líderes más dogmáticos del mundo comunista que defiende con entusiasmo la masacre de la Plaza de Tiannamen y se refiere a los cambios en la Europa Oriental como "una de las cosas más tristes de la Historia."

Sr. Castro, permita que Cuba se una a la revolución pacífica del mundo comunista. ¡Derrumbe su muro, abra sus cárceles!

De no hacerlo ahora, su pueblo se encargará de hacerlo más tarde o más temprano, quizá a un alto precio en sacrificio humano.

Respetuosamente,

COMITÉ DE LA CARTA DE LOS 100
(COMITÉ POR EL PLEBISCITO)

Comité por el plebiscito (carta fechada el 1ero. de enero de 1990):

Reinaldo Arenas, novel
Jorge Camacho, pintor.
Emilio Guedes, cineasta.
Carlos Franqui, escritor.
Orlando Jiménez Leal, cineasta.
Marcelino Miyares, politólogo.
Jorge Ulla, cineasta.

AN OPEN LETTER TO FIDEL CASTRO

A year ago we asked for a PLEBISCITE...

New York, January 1, 1990

Mr. President:

Thirty-one years ago the arrival of the Cuban revolution was hailed by all of us as a significant accomplishment for mankind. Today we look in disillusionment as your purportedly ideal society is stricken by drug scandals, economic failure, skepticism and repression, **in the midst of the major populist challenge of recent history: the democratization of the Communist world.**

It is lamentable to see you condemn this new thinking and stubbornly insist on old-fashioned orthodoxy and repressive methods to silence dissenters, especially those individuals who report on human rights abuses.

On November 24, 1989 three more human rights activists were sentenced by your government to up to two years in prison. Elizardo Sánchez, Hirám Abí Cobas and Húbert Jerez had merely talked to foreign journalists about the drug trial involving your government. According to the non-partisan human rights organization Americas Watch, they are "the latest victims: today some 27 human rights monitors are in jail in Cuba." Incarcerated with them are numerous political prisoners, some of them for the sole crime of trying to leave their country, and many held past the end of their long sentences.

Fidel, open your wall.

Fidel, open your wall.

We can not help but look at the peaceful revolution taking place in the Communist bloc nations and ask ourselves: **Why not Cuba?** To help the Cuban people move rapidly towards a ***pluralistic society,***

- WE ASK for ***the release of all political prisoners;***
- WE ASK for ***the right of Cubans to freely travel in and out of their country;***
- WE ASK for ***the right to free association,*** including the formation of political parties, independent unions, as well as religious and opinion organizations;
- WE ASK for ***the right to free expression*** through the means of publications, radio, television and film now in control of the government;
- WE ASK for a ***PLEBISCITE*** on your rule even though our request of December 20, 1988 was bluntly rejected by your government.

Thirty-one years ago you became a champion of human freedoms. Today you are one of the most dogmatic leaders of the Communist world who enthusiastically supports the Tiannamen Square massacre and calls the changes in Eastern Europe "one of the saddest things in History."

Mr. Castro, let Cuba join the peaceful revolution of the Communist world. Open your wall, open your jails!

Unless you do it now, your people will do it sooner or later, perhaps at a high price in human suffering.

Respectfully,

COMITÉ DE LA CARTA DE LOS 100 (COMMITTEE FOR THE PLEBISCITE)

España.

Cuba: Cela y otras cuatrocientas personalidades piden un referéndum

Vargas Llosa, Ionesco y Paloma Picasso, entre los firmantes

París. Afp, Efe

Personalidades europeas e iberoaméricanas enviaron ayer un mensaje al jefe del Estado cubano, Fidel Castro, en el que pedían al dictador que permitiera la celebración de un referéndum para que sea el pueblo quien decida si Castro sigue o no en el poder. Un total de cuatrocientas personalidades, entre las que destacan el Nobel Camilo José Cela, el escritor peruano Mario Vargas Llosa, Ives Montand y Paloma Picasso, firmaron la carta.

La petición firmada por algo más de cuatrocientas personalidades de la vida cultural y artítica de Europa e Iberoamérica reclamaba el derecho del pueblo cubano para decidir el «sí» o «no» de la permanencia de Castro en el poder.

La petición, que fue dada a conocer ayer, anunciaba que «a la luz de los cambios que se suceden en los países del Este, el pueblo cubano debe decidir su futuro político». Los firmantes recuerdan al dictador cubano «la democratización en curso en los países de Europa del Este y la insurrección del pueblo rumano que ha costado tantas vidas.

Un total de cuatrocientas personalidades firmaron esta carta, entre ellas el último premio Nobel de Literatura, Camilo José Cela Ionesco, Federico Fellini, Yves Montand; la hija de Picasso, Paloma Picasso y el escritor peruano y candidato a la presidencia de su país, Mario Vargas Llosa.

Un llamamiento similar tuvo lugar hace aproximadamente un año, cuando intelectuales y artistas de numerosos países pidieron a Fidel Castro la celebración de un referéndum sobre su permanencia en el poder. En aquella ocasión el máximo dirigente cubano respondió «que el referéndum había tenido lugar ya, hace más de treinta años, con ocasión del triunfo de la victoria castrista».

El régimen de Castro atraviesa ahora uno de sus momentos más delicados con motivo de la caída de todos los regímenes estalinistas en los países del Este de Europa, con la excepción hasta el momento de Albania. La sangrienta revolución rumana, que ha costado la vida a sesenta mil personas y el posterior fusilamiento de Nicolae Ceaucescu motivó al presidente cubano a reunir la Asamblea para analizar la situación internacional. Al término de la reunión se decidió la aprobación de una declaración en la que se aseguraba que «defenderemos el comunismo aunque se hunda la isla».

Fidel Castro

El proceso de reestructuración emprendido por Mijail Gorbachov en la Unión Soviética ha puesto en serio peligro la supervivencia económica del régimen comunista cubano, ya que el líder soviético ha anunciado que dejará de comprar el azúcar cubano a un precio tres veces superior al de su cotización en el mercado. Asimismo, la Unión Soviética reducirá sus envíos de petróleo a la isla caribeña.

Todos estos cambios han alterado la vida política cubana y la tranquilidad del hombre que la dirige con mano dura.

España.

Diario Ya. Dic. 29. 1989. Madrid.

Más de 400 intelectuales y políticos firman una carta

Piden a Castro una consulta sobre su permanencia

Madrid/YA

Una solicitud firmada por más de 400 personalidades europeas y latinoamericanas ha sido enviada a **Fidel Castro**, jefe de Estado cubano, para reclamarle «*el derecho del pueblo cubano de decidir si quiere o no que se mantenga en el poder*». La solicitud aparece hoy publicada íntegramente en el periódico *The New York Times*.

Los firmantes piden «*que a la luz de los cambios que se han producido en los países del Este el pueblo cubano pueda decidir también su futuro político*», recordando «*la democratización que se está produciendo en los países de la Europa del Este y la insurrección del pueblo rumano que ha costado tantas vidas*».

«*Hace 31 años el triunfo de la revolución cubana fue recibido como un logro importante para la humanidad. Hoy contemplamos con desilusión cómo aquella sociedad que se imaginaba ideal está hundida en el fracaso económico, el escepticismo y la represión e involucrada en el narcotráfico internacional*», afirma el escrito, que pide tambié a **Castro** que «*derribe el muro*» En este documento se pid también al dirigente cubano l liberación de los presos polít cos encarcelados en las cárce les de aquel país.

El llamamiento, transmitido ayer a la prensa, está firmado por más de 400 intelectuales, hombres de la política y artistas europeos y latinoamericanos, entre los que se incluye el premio Nobel de Literatura, **Camilo José Cela**, Eugene Ionesco, Federico Fellini, Yves Montad, Paloma Picasso, Isabela Rosellini , **Octavio Paz** y **Mario Vargas Llosa.**

Un llamamiento similar, firmado en varias capitales, como Madrid, Washington y París, ya se había dirigido hace un año al dirigente cubano, que había respondido que «*el referéndum había tenido lugar hace treinta años con ocasión de la victoria castrista.*»

Francia.

Walesa Warns Vietnam, Cuba and North Korea

Agence France-Presse

WARSAW — Lech Walesa, the Solidarity leader, said Friday that governments in Cuba, Vietnam and North Korea "could fall next year unless they choose the path of dialogue with their peoples."

In an interview after the downfall of Nicolae Ceausescu of Romania, Mr. Walesa said the problem now was that "Romania will need Western aid fast. People in the West must mobilize quickly to find ways — even modest ways — to help quickly."

RESPUESTA DEL GOBIERNO DE LA HABANA A LA CARTA ABIERTA ENVIADA A FIDEL CASTRO EL 1ero. DE ENERO DE 1990

(La respuesta fue transmitida desde La Habana por Radio Rebelde).

Esta vez no fue la protección de vidas norteamericanas, sino la caza de un hombre. Con este objetivo, los Estados Unidos lanzaron una horda de 30,000 marines que han sido salvajemente azuzados contra el pueblo panameño.

Con este desafuero intracontinental que ni siquiera se molesta en encubrir con un mínimo de coherencia, el Imperio le ha hecho saber al mundo, y especialmente a Latinoamérica, que la política del gran garrote, que sólo se había expresado metafóricamente en los últimos años, está de vuelta. No hay ni un mínimo de decencia en esta política de explotación y crimen. Los soldados de Estados Unidos entran en escena otra vez. El Imperio muestra su verdadero rostro y exige, como siempre, que sus judas lo acompañen, que es para lo que les pagan.

La invasión yanqui a Panamá no es nada más que un aspecto de la misma política que ya ha demostrado toda su crudeza en éste y otros continentes. Esta política es indivisible, tal como el sistema que representa es indivisible. Sin embargo, ¡cuántos hijos de puta ni siquiera han dicho media palabra de condena contra ese hecho criminal! Por el contrario, envían cartas abiertas contra Cuba y su Revolución. Exigen plebiscitos. Denigran a los líderes del Partido en la persona del compañero Fidel. En otras palabras, insultan y hieren en lo más profundo los sentimientos de nuestro noble pueblo trabajador y combativo.

¿Por qué estos miserables oportunistas han guardado silencio por más de tres décadas sobre el brutal bloqueo yanqui contra Cuba? ¿Por qué se quedan callados sobre otras múltiples agresiones que son universalmente conocidas? ¿Por qué no dicen nada acerca de los importantes logros de la Revolución cubana en todos los frentes?

Para no malgastar más tiempo, sólo podemos decir a estos cochinos agentes imperialistas que nuestro pueblo, representado por sus diputados en la Asamblea Nacional del Poder Popular, acaba de celebrar el plebiscito que piden. Allí se reafirmó el carácter socialista de nuestro estado y el papel de nuestro Partido como vanguardia superior de la sociedad. Por mucho que pueda disgustarles, nada nos apartará de esta senda con el Comandante en Jefe a la cabeza.

Cuba.

SUBJ: RADIO REBELDE RESPONDS TO PLEBISCITE REQUEST SENT TO CASTRO ASKING HIM TO HOLD REFERENDUM

SOURCE: HAVANA RADIO REBELDE NETWORK IN SPANISH 30 DEC 89

WE LIVE AMID THE SCANDAL OF THE LAST YANKEE INTERVENTION IN LATIN AMERICA, THIS TIME AGAINST PANAMA. THE EXCUSE USED THIS TIME WAS NOT THE PROTECTION OF U.S. LIVES, BUT THE HUNT FOR ONE MAN. WITH THIS OBJECTIVE, THE UNITED STATES UNLEASHED A HORDE OF 30,000 MARINES WHICH HAVE BEEN SAVAGELY UNLEASHED AGAINST THE PANAMANIAN PEOPLE.

WITH THIS INTRACONTINENTAL MISDEED WHICH THEY DO NOT EVEN BOTHER TO HIDE WITH A MINIMAL AMOUNT OF COHERENCE, THE EMPIRE HAS LET THE WORLD, AND ESPECIALLY LATIN AMERICA, KNOW THAT THE POLICY OF THE BIG STICK HAS RETURNED, WHICH WAS ONLY METAPHORICALLY EXPRESSED DURING THE PAST FEW YEARS. THERE IS NO WAY OF CONCEALING WITH A MINIMAL AMOUNT OF DECENCY THIS POLICY OF EXPLOITATION AND CRIME. THE U.S. SOLDIERS ENTER THE SCENE AGAIN. THE EMPIRE SHOWS ITS TRUE FACE AND DEMANDS, AS ALWAYS, THAT ITS JUDASES ACCOMPANY IT; THAT IS WHAT THEY ARE PAID FOR.

THE YANKEE INVASION OF PANAMA IS NOTHING MORE THAN AN ASPECT OF THE SAME POLICY THAT HAS ALREADY DEMONSTRATED ALL ITS CRUDENESS IN THIS AND OTHER CONTINENTS. THIS POLICY IS INDIVISIBLE, JUST AS THE SYSTEM IT REPRESENTS IS INDIVISIBLE. NEVERTHELESS, HOW MANY SONS OF BITCHES HAVE NOT EVEN SAID HALF A WORD OF CONDEMNATION AGAINST THAT CRIMINAL DEED? INSTEAD, THEY SEND OPEN LETTERS AGAINST CUBA AND ITS REVOLUTION. THEY DEMAND PLEBISCITES. THEY DENIGRATE THE LEADERS OF THE PARTY IN THE PERSON OF COMRADE FIDEL. IN OTHER WORDS, THEY INSULT AND MOST DEEPLY HURT THE FEELINGS OF OUR NOBLE, WORKING, AND COMBATIVE PEOPLE.

WHY HAVE THESE MISERABLE OPPORTUNISTS KEPT SILENT FOR MORE THAN 3 DECADES ON THE BRUTAL YANKEE BLOCKADE AGAINST CUBA? WHY HAVE THEY KEPT QUIET ABOUT OTHER MULTIPLE AGGRESSIONS THAT ARE AS UNIVERSALLY KNOWN? WHY DO THEY NOT SAY ANYTHING ABOUT THE MOMENTOUS ACHIEVEMENTS OF THE CUBAN REVOLUTION IN EVERY ASPECT?

TO NOT WASTE ANY MORE TIME, WE CAN ONLY TELL THESE FILTHY IMPERIALIST AGENTS THAT OUR PEOPLE. REPRESENTED BY THEIR DEPUTIES AT THE NATIONAL ASSEMBLY OF THE PEOPLES GOVERNMENT, HAVE JUST COMPLETED THE PLEBISCITE YOU REQUESTED. THE SOCIALIST NATURE OF OUR STATE AND THE ROLE OF OUR PARTY AS A SUPERIOR LEADING FORCE FOR SOCIETY WAS REAFFIRMED THERE. AS MUCH AS YOU MAY DISLIKE IT, NOTHING WILL SEPARATE US FROM THIS ROAD WITH THE COMMANDER IN CHIEF LEADING US.

Puerto Rico.

The San Juan Star

LOCAL NEWS *Saturday, December 30, 1989.*

Fidel told to 'tear down wall'

By HAROLD LIDIN
Of the STAR staff

A full-page "open letter" demanding that Cuban President Fidel Castro "knock down the wall" appeared Friday in two local Spanish newspapers and the New York Times.

The letter carried the signature of prominent political, intellectual and trade union figures in the United States, Europe and Puerto Rico. Island signers included Gov. Hernández Colón, Senate President Miguel Hernández Agosto, House Speaker José R. Jarabo and educator Jaime Benítez.

U.S. signers included 28 senators and 47 congressmen. European signers included Polish labor leader and Nobel Prize winner Lech Walesa and World Labor Confederation President Willy Pierens. Writers who signed the letter included Peruvian novelist Mario Vargas Llosa and French author Eugene Ionesco.

The letter warns Castro that if he fails to embrace changes similar to those taking place in Eastern Europe, "the people will do so on their own initiative, even at a massive human cost."

The letter was promoted by a group of Cuban exiles in New York and San Juan. The two key local organizers, filmmaker Emilio Guede and contractor Manolo Ray, both expressed serious doubts that any early uprisings will take place in Cuba similar to those seen in Eastern Europe.

Ray said "a great internal anxiety" exists in Cuba for a change, but he sees no organization within or outside of Cuba capable of toppling Castro.

Guede agreed that "a conspiratorial network" is now lacking in Cuba, but he foresees active anti-Castro sentiment developing there this year.

Carlos Gallisá, secretary general of the leftist Puerto Rican Socialist Party, derided the open letter as "juvenile." He said Cuba differs from the Eastern European nations in that Castro enjoys the overwhelming support of its inhabitants.

The open letter, the second in the last two years, repeats the call of the original letter for a plebiscite in Cuba to determine whether the Cuban people want Castro to remain in power.

The original call, brusquely rejected by Castro, was inspired by Chilean strongman Augusto Pinochet's acceptance of a plebiscite in 1988. Chilean voters denied Pinochet's bid to remain in power and opted for elections. A coalition of opposition parties headed by Christian Democratic leader Patricio Alwyn won the election handily.

The Washington Post

AN INDEPENDENT NEWSPAPER

'The Last Socialist Country'

THE FALL OF Nicolae Ceasescu leaves Cuba as one of the few Communist regimes seemingly untouched by the contagion of freedom. This distinction has naturally prompted the question of how long Fidel Castro can resist the popular democratic trends flowing elsewhere in the socialist world. These trends are also flowing in parts of the Third World, especially in Latin America (most recently Chile and Brazil), where right-wing governments have held sway. Even among Cuba's own Latin clients, Nicaragua has been compelled to enter an electoral process that challenges single-party rule; only the Salvadoran guerrillas remain outside the elective political realm.

Taunting his reform-minded Kremlin sponsors, Mr. Castro now publicly ponders a role as "the last socialist country in the world." He is getting a message from Moscow to cut back his grand and meddlesome revolutionary foreign policy and to stop counting on huge Soviet economic subsidies. As President Bush necessarily reminded President Gorbachev at Malta, this message is not yet being accompanied with the aid ultimatum that might make it more convincing. Cuba continues to shovel arms upon the Sandinistas and Salvadoran insurgents, and it defies perestroika at home. The United States, however, seems likely to keep insisting that Mr. Gorbachev match his policy to his words. If he does, there will come a test of Mr. Castro's gamble that a single small, isolated Communist country, increasingly shorn of the comforts of Soviet-bloc patronage, can get by. Surely he cannot expect that his spirited defense of the Tiananmen killings will bring comparable patronage from Beijing.

Meanwhile, who would be surprised to see the Cuban people begin to take the future of their country more directly into their own hands? It was long believed in the West that Communist regimes, with their police and their monopoly of political power, were invulnerable to direct popular challenge. The experience of East Europe has shot that theory full of holes and provided fresh examples and techniques of the exercise of popular will. The Havana regime seeks to maintain control by juggling palliatives and repressions—the latter include new jailings of human rights activists. But the Cuban people know what is going on elsewhere in the socialist world, and they have their own traditions of freedom to draw on. It is impossible to think they will be indefinitely denied.

The Miami Herald

JOHN S. KNIGHT *(1894-1981)*
JAMES L. KNIGHT, *Chairman Emeritus*
DAVID LAWRENCE JR., *Publisher and Chairman*
ROBERTO SUAREZ *Associate Publisher*
PHIL DEMONTMOLLIN *President and General Manager*
JIM HAMPTON *Editor*
JANET CHUSMIR *Executive Editor*
JOANNA D. WRAGG *Associate Editor*
PETE WEITZEL *Managing Editor*

Letters to Castro

ON DEC. 27 last year, five days before the 30th anniversary of the Cuban Revolution, an impressive group of intellectuals, artists, and political figures — including several Nobel laureates — published an unusual open letter to Fidel Castro. In ads in major newspapers, they urged Cuba's dictator to follow the example of Chile's Gen. Augusto Pinochet by holding a national plebiscite in Cuba on his rule.

Now the same group — augmented by important East European leaders such as Poland's Lech Walesa — has written Mr. Castro another extraordinary letter. Titled "Fidel, open your wall," it appeared as an ad in Saturday's *Herald*. Significantly, it is not the brainchild of politicians. Like some reform movements in East Europe, the letter is the offspring of artists and intellectuals. It asks Mr. Castro to "join the peaceful revolution of the Communist world."

The first letter elicited shocked and angry responses from Havana's commissars. This one is sure to provoke apoplectic fits among Cuba's ruling elite. For in this miraculous year of Eastern European revolutions, the Cuban regime has been exposed as one of the last decaying representatives of Stalinism's despotic *ancien regime*.

The letter's signatories — Saul Bellow, Elie Wiesel, Federico Fellini, Czeslaw Milozs, and many others — remind Mr. Castro of his pathological isolation. They rightly warn him that he cannot remain alone with

TAKE HEED, TAKE HEED

his apocalyptic vision of an island that, as he said recently, "will sink to the bottom of the ocean before it abandons communism."

Thirty-one years ago today, when he became Cuba's absolute ruler, Mr. Castro was widely perceived as a young, promising revolutionary. Today the Communist world's young, promising revolutionaries seek to transform their societies humanely — in Europe. They fill the squares of Prague and Leipzig. They hold forth in the Hungarian and Polish parliaments. They die ousting Mr. Castro's fellow Stalinist in Romania.

If Cuba's dictator persists in his granitic refusal to undertake reforms, Cubans may soon be dying in a civil war comparable to Romania's. Mr. Castro ought not forget that only some months ago, a group of prominent Romanian dissidents wrote their country's dictator, Nicolae Ceausescu, a letter similar in tone and content to this one to Mr. Castro.

Romania's dictator ignored his letter; now he has been overthrown and executed. On the anniversary of Fidel Castro's long-perverted revolution, that example is a warning. It warns that dictators who do not heed the words of guardians of the world's moral conscience invite the bullets of their oppressed people.

Segunda-feira, 1-1-90

Liberdade para Cuba

J. O. de Meira Penna

Celebrou-se no dia 27 de dezembro o primeiro aniversário da Carta Aberta a Fidel Castro, publicada com a assinatura de nomes de relevo no cenário internacional, e pedindo:

1) a nomeação de uma comissão ilustre internacional para supervisionar a realização de um plebiscito em Cuba, visando a determinar se o caudilho deve ou não continuar sendo presidente da República, presidente do Conselho de Ministros, presidente do Conselho de Estado, comandante Supremo das Forças Armadas e líder do PC cubano;

2) a libertação de todos os prisioneiros políticos e suspensão das leis que limitam a livre expressão de idéias e opiniões por parte do público cubano;

3) a permissão a todos os exilados (perto de um milhão) de retornar a Cuba para participar, juntamente com os diversos setores de opinião, de campanha política pelos meios de comunicação de massa, particularmente a imprensa e a TV; e

4) a legalização no país dos Comitês em defesa dos direitos humanos em Cuba.

Depois de um plebiscito como o proposto e que se assemelhasse ao que foi realizado no Chile e permitiu as eleições que deram a vitória à oposição, o comandante Fidel Castro (o "queridíssimo Fidel" de s. emma. o cardeal Arns de São Paulo) seria instado a proceder a eleições livres semelhantes às que têm sido realizadas em toda a América hispânica sem exceção, abandonando o regime ditatorial que há 31 anos oprime seu gulag antilhano. O barbudo intelectual guerrilheiro deveria também adotar a glasnost e a perestroika de seu mentor soviético Gorbatchóv.

Entre os 163 intelectuais assinantes do manifesto notam-se nomes ilustres como os de Nestor Almendras, cineasta espanhol, e Hector Babenco, diretor argentino bem conhecido no Brasil; Saul Bellow, escritor americano; Lucio Colletti, o filósofo italiano; Jean Daniel, o editor do **Nouvel Observateur**, e Gerard Depardieu, o artista de cinema; Jacques Derrida, crítico, e Federico Fellini, o célebre diretor italiano; Ionesco, o famoso teatrólogo; Andre Glucksmann, um dos **nouveaux philosophes** franceses, e seu colega Bernard-Henri Levy; Manuel Puig e Ernesto de Sabato, dois dos mais conhecidos escritores argentinos, sendo que Sabato sempre foi considerado de "esquerda"; Carlos Semprun, espanhol; e Susan Sontag, americana; Jean-François Revel, o grande jornalista francês; Vladimir Maximov, o escritor dissidente russo que mora em Paris, e Leszek Kolakowsky, o dissidente polonês que é hoje provavelmente o maior filósofo vivo; e Mário Vargas Llosa, o romancista peruano que se candidatou à Presidência da República. Um grande número de nomes cubanos segue com suas assinaturas entre as quais, naturalmente, Armando Valladares, o poeta e herói da luta pelos direitos humanos em Cuba.

Infelizmente, não há nenhum nome de brasileiro entre a plêiade de celebridades internacionais interessadas na volta de Cuba à democracia. O último abencerrage do totalitarismo marxista, que também é provavelmente o mais inteligente e esperto entre os Kadar, os Zhikov, os Husak, os Honnecker e os Ceaucescu recentemente derrubados, vale-se de um elemento que a seus colegas faltava, o nacionalismo. Os europeus eram lacaios do imperialismo russo. Fidel destaca-se como herói da luta contra o "imperialismo" americano. Com esse álibi há 31 anos que o barbudo tem fornicado dez milhões de cubanos como o machão que resistiu a Tio Sam.

Mas que haja algum brasileiro entre os novos assinantes da carta-apelo! O que queremos é a libertação da ilha.

Cuba Libre!

J. O. de Meira Penna é embaixador, professor da UnB e escritor

Brasil. Folha da Tarde. 1. 1. 1990.

By Susan Kaufman Purcell

Is Cuba the Next Communist Domino?

To avoid bloodshed, a plebiscite.

Mr Castro has also arrested the leaders of the small human rights movement that he had briefly tolerated.

Cuba, unfortunately, more resembles Rumania under the Ceausescus than the rest of Eastern Europe before the democratic revolutions. Mr. Castro heads a Communist dictatorship characterized by irrational, arbitrary and personalistic authority and a cult of personality. Government repression has kept dissident groups, including labor unions, from forming. Churches are forbidden to provide forums for debating and challenging the regime. Nor does the party tolerate within its ranks liberalizing groups that could exert pressure on Mr. Castro or influence policy.

As with Rumania, the outside world downplays the repressive nature of the Cuban regime because of its ruler's defiance of a superpower. Nicolae Ceausescu's anti-Soviet foreign policy won him support in the U.S. and Western Europe. President Castro's anti-Americanism wins him support in the Soviet Union, Western Europe and, particularly, Latin America.

Cuba does not have to go the bloody route of Rumania to rid itself of its dictator. External forces that are combining with internal pressures can produce a more peaceful transition — if the international community begins demanding of Mr. Castro what it demanded of Chile's autocratic leader, Gen. Augusto Pinochet.

The Cuban people need and want a plebiscite, supervised by international observers, like the one in Chile last year. Allowing them to vote yes or no on Mr. Castro's continued leadership would enable them to follow the relatively peaceful Chilean path to democracy, rather than the Rumanian one. □

THE NEW YORK TIMES, WEDNESDAY, JANUARY 10, 1990

FRANCIA

MATCH

13 JANVIER, 1990

LE MATCH DE LA SEMAINE

LES INTELLECTUELS CONTRE CASTRO

Cent intellectuels du monde entier, dont six prix Nobel – Bellow, Cela, Dausset, Milosz, Simon, Wiesel – ainsi que des artistes tels Fellini, Depardieu, Montand et Nicholson, viennent à nouveau d'écrire à Fidel Castro pour lui demander d'organiser un referendum pour savoir si les Cubains veulent son maintien au pouvoir. Ils expriment leurs espoirs que « le peuple cubain pourra décider à son tour, dans la paix et la liberté, après les pays de l'Est de son avenir politique ». En France, c'est le peintre Jorge Camacho qui mène la campagne pour la fin de la dictature castriste.

COSTA RICA

Documento

La Nacicn.
Costa Rica marzo 1990

Dos cartas abiertas a Castro

Costa Rica, marzo, 1990.

Nuestros ex Presidentes de la República han remitido una carta a Fidel Castro, en la que abogan por la libertad del pueblo cubano. Una carta está firmada por don José Figueres, don José Joaquín Trejos, don Mario Echandi y don Luis Alberto Monge. La otra está suscrita por don Rodrigo Carazo. Ambas coinciden plenamente en el mismo propósito. Muchos otros políticos e intelectuales en el mundo han instado a Fidel Castro para que derribe el muro y libere a su pueblo. Castro no ha respondido, pero el movimiento mundial e histórico avanza avasallador bajo el mismo signo.

Derribe su muro

General Castro:

Durante los últimos meses la llama de la libertad ha tomado vigor en el mundo.

América Latina, pionera en este avance, ha disfrutado un renacer sin precedentes de gobiernos democráticos.

Las políticas desarrolladas por Mijail Gorbachov en la Unión Soviética han producido una inusitada apertura en ese país.

Los pueblos de Europa Oriental han hecho manifiesto su deseo de libertad, justicia y respeto a los derechos humanos, y el camino hacia la plena democracia se ha comenzado a andar con vigor y paz, con excepción de Rumanía, donde no pudo evitarse la violencia.

Cuba no debe permanecer al margen de esta tendencia. Las nuevas realidades internacionales hacen insostenible una política de aislamiento y rigidez. No es posible contener por más tiempo el espíritu de libertad de su pueblo. No es humano conculcar sus derechos.

El gobierno que por 31 años usted ha encabezado no debe mantenerse inmutable. Para evitar que el cambio, como en Rumanía, se dé en medio de la lucha fratricida, lo instamos a iniciar un proceso de democratización, irreversible y acelerado, que contemple, al menos, las siguientes medidas:

La libertad de los presos políticos.

El derecho de los cubanos a entrar y salir libremente de su país.

El derecho a la libre asociación, incluida la formación de partidos políticos, sindicatos, organizaciones religiosas y culturales.

El derecho a la libertad de expresión.

Un plebiscito sobre su permanencia en el poder.

General Castro, derribe su muro, permita que Cuba se una a la revolución pacífica del mundo comunista y se integre a la realidad que pertenece: la comunidad libre de naciones latinoamericanas.

Demorar por más tiempo esta decisión sólo agravará la situación de su pueblo y aumentará el sufrimiento humano de alcanzar la democracia.

Don José Figueres Ferrer, Prof. José J. Trejos Fernández, Lic. Daniel Oduber Quirós, Lic. Mario Echandi Jiménez y Don Luis A. Monge Alvarez.

Libertad total

América y el mundo recibieron con alborozo los acontecimientos políticos y sociales ocurridos durante 1989. Se percibe el acercamiento de la humanidad a la era de la paz, armonía, justicia social y vigencia de los derechos humanos, que constituye la gran esperanza del género humano.

Los pueblos desean libertad, pleno ejercicio del derecho al sufragio, eliminación de toda confrontación armada, liberación de los presos políticos, libertad de movilización y de asociación, absoluta libertad de expresión: el hombre aspira a la vigencia plena de los valores democráticos.

No hay duda de que los esfuerzos por el logro de la democracia parten de la expresión de los ciudadanos por medio de elecciones libres en las que participen todos los partidos políticos en un clima de libertad absoluta y de tolerancia.

Ligado como he vivido siempre a Martí no puedo dejar de mencionar su pensamiento al pedirle a usted que abra las puertas a un futuro de Cuba en el que se encuentren "los cubanos de afuera con los cubanos de adentro" para que sean –todos juntos– capaces de sumar en libertad sus esfuerzos para engrandecer su patria: "El mundo es torre, y hay que irle poniendo piedras".

Como ciudadano de Costa Rica, como latinoamericano, pido a usted elecciones libres, libertad total para los cubanos y con ello, esperanza para nuestra América de que todos sus pueblos logren la meta de alcanzar la democracia por la libre voluntad popular.

Esta gran aspiración humana por la libertad no admite dilatorias.

Atentamente,

Rodrigo Carazo Odio

Jean-François Revel

Francia.

Et Castro, donc ?

Lorsque j'ai vu Jack Lang se précipiter à Prague et s'exhiber devant les caméras aux côtés de Vaclav Havel, je n'ai pu m'empêcher d'évoquer l'image du même Jack Lang, en 1982, flanqué de Fidel Castro et ne craignant pas d'affirmer : *« Nos deux pays* [la France et Cuba] *croient à l'homme et refusent la dictature internationale d'une grande puissance. »* Il s'agissait des Etats-Unis, bien sûr, dont il fallait rejeter la culture *« industrialisée et standardisée »*.

Or, Vaclav Havel a mis en accusation dans ses « Ecrits politiques » (Calmann-Lévy) le règne de la peur et du mensonge, la corruption morale, la pression constante du pouvoir sur la vie de chacun, l'étouffement de la culture et de toute création qui caractérisent le système cubain comme ils caractérisaient hier le système tchèque. Notre ministre doit choisir entre deux types de culture : il ne peut louer à la fois Castro et Havel, l'emprisonneur et l'emprisonné.

La cuisante leçon des compromissions roumaines convaincrait-elle enfin les responsables moraux ou politiques des démocraties qu'ils ne peuvent pas aller n'importe où serrer la main de n'importe qui ? Personne n'a plus l'excuse d'une légende « de gauche » qui, dans le cas de Cuba, est éculée depuis vingt ans, et notamment depuis l'exode de centaines de milliers d'exilés de la faim en 1980. Quant aux droits de l'homme, le dossier Castro, en explosant, dégagera bientôt, je le crains, des odeurs aussi nauséabondes que le dossier Ceausescu. Les derniers fidélistes doivent se hâter, s'ils veulent, le 1er mai 1990, à nouveau entendre le peuple de La Havane crier en défilant : *« Il faut travailler mieux et plus ! Nous gagnons trop ! »*

Malgré une lutte farouche et en partie couronnée de succès pour faire édulcorer le rapport de l'Onu sur les droits de l'homme à Cuba, Castro n'a pu empêcher ce document de voir le jour, en février 1989. Certes, pour des raisons mystérieuses, on a du mal à se le procurer, mais, enfin, il existe, et il est accablant. Certains euphoriques voyageurs n'en perdent pas pour autant leur enthousiasme. C'est le cardinal Roger Etchegaray qui clame, l'an dernier, sa *« rare joie »* d'avoir rencontré le Lider máximo, avec lequel il *« partage la même passion de l'homme, de sa liberté, de sa dignité »*. C'est un autre cardinal, Evaristo Arns, archevêque de Sao Paulo, qui écrit au Commandante, le 6 janvier 1989 : *« Cuba peut se montrer fière d'être un exemple de justice sociale... La foi chrétienne voit dans les conquêtes de la Révolution la manifestation du Royaume de Dieu... Recevez mon fraternel abrazo. »* C'est Danielle Mitterrand qui, en sa qualité de présidente de France-Libertés, se rend à Cuba, en mars 1989, pour (selon *Granma* du 9, journal du parti) *« apprendre et transmettre le message qu'elle aura reçu »*. Un peu plus tard, elle exalte *« la liberté d'expression qui permet aux artistes cubains de développer leur créativité »* (selon *Trabajadores* du 18 juin 1989).

La France a le mérite d'avoir fait libérer des prisonniers politiques cubains. Mais les interventions en faveur d'individus fort louables ne sont pas une politique d'ensemble. Notre pays doit aider le *peuple* cubain à sortir du communisme. Le président de la République du Bicentenaire pourrait, par exemple, manifester son approbation à l'appel que viennent, pour la deuxième fois en un an, d'adresser à Castro des intellectuels de tous pays – y compris de l'Est – pour lui demander d'organiser des élections libres et secrètes. Après tout, c'est aussi l'intérêt du Lider máximo que de quitter la scène comme Pinochet plutôt que comme Ceausescu.

La situation à Cuba est critique. Pour la première fois, Castro n'a pas osé prononcer son discours du 1er janvier en plein air, devant la foule, par crainte de réactions imprévisibles : il avait dû voir à la télévision l'ultime harangue publique du Conducator... ●

Des intellectuels de pays de l'Ouest et de l'Est demandent à Castro d'organiser à Cuba des élections libres et secrètes.

An exile's indictment

by G. Cabrera Infante

IN Orson Welles's film *Touch of Evil*, the totalitarian Texas cop, Hank Quinlan, fat, old and ugly, is, like all tyrants, sorry only for himself. He asks Marlene Dietrich, a soothsayer with a deck of cards, about his future. "You have no future, dear," she says. "You've used it all up."

When a Mexican policeman complains to Quinlan about having to plant evidence on a suspect and then send him to jail (perhaps to his death) he adds: "The job of a policeman is not easy. It's easy only in a police state."

I know a police state intimately — Castro's Cuba — where not only is the job of policemen easy but also that of prosecutors and judges. It is also an easy job for journalists, especially for foreign correspondents and commentators. In order to be able to work at all it is merely necessary to say nice things about everything. Even about the ugly old tyrant — especially about him.

It was George Orwell who said that you don't have to live under a tyrant to serve him well. In England, during the 24 years that I have lived in exile here, commentators and politicians and painted parrots who read the news as though they were making it have shown a disregard for the truth concerning Communist countries that is appalling, yet understandable. They are all, with a few exceptions, Fabian children, inheritors of that sinister couple (not silly, as they are usually misrepresented) Sidney and Beatrice Webb. The Webbs came back from a trip to Stalin's Russia, then at the height of the Terror, to proclaim the tyrant as "the builder of a new civilisation".

BBC-1 and BBC-2 have gladly broadcast innumerable programmes extolling Castro's island and not a single one has told it as it really was, and is: a brutal dictatorship that long ago began to seem as though it would last for ever. Some of these programmes, to be made more palatable to British audiences, were given the gloss of travelogues, with exotic locales seen to sound of salsa music.

The average British commentator knows nothing about Cuba before Castro yet over the years has been happy to repeat every Castroite lie as though it were the Gospel. "Havana was a brothel before Fidel," they lament. But they don't know that you can find more hookers and streetwalkers in Madrid and Barcelona today than in Havana BC (Before Castro), while in Franco's Spain there were none. "Havana was a casino," they claim. But if they would only walk through South Kensington they would find more gaming clubs than in Havana in its heyday.

"There is better education and public health in Cuba now than ever before," they intone. But they don't say that Cuban children, when they learn to read and write, must start with a primer in which the alphabet begins with an F. "F for Fidel", of course. As for those adults who can read, heavy censorship bans all books, newspapers and magazines published abroad and lately, even Russian reviews are also outlawed.

Public health (there is none to be had privately) is such a shambles today that people suffer from illnesses unheard of since independence in 1902. The Cubans now have puerperal fever, porcine fever, dengue, brucellosis. If you have a toothache in Cuba you must brace yourself and bite the bullet, more or less literally: there are no aspirins available, although Castro has one of the best munitions factories in the continent.

Is it ignorance, is it bad faith or is it some kind of infantile illness, an infection of Castroism? Castroenteritis makes one forget that Cuba had, in 1958, a gross national product only bettered in the Americas by Argentina and Venezuela. Today Cuba has fallen behind even Haiti. Cuba had more cars in the 1950s than many European countries, and more television sets than Italy.

Is all this arcana to the English? It shouldn't be. All these data and more can be found in a book by an Englishman, Hugh Thomas, who wrote the best history of Cuba, *Cuba: the Pursuit of Freedom*.

Last year there was an open letter asking Fidel Castro for a plebiscite similar to General Pinochet's in Chile. It was an honourable way out, above all a bloodless exit. Through one of his many minions, Castro ridiculed the petition, though it was signed by many distinguished international figures such as Jacques Derrida, Federico Fellini, Mario Vargas Llosa, Elie Wiesel and a few hundred others. The letter was published in *The New York Times* and elsewhere — though not in Britain, where it wasn't even mentioned in the press. This year another open letter ("Fidel Open your Wall!") was sent to Castro. Though it was signed by Lech Walesa, Milovan Djilas, Joseph Brodsky and included all the signatories of the first letter, it was not signed by a single British writer with the exception of Hugh Thomas. The English media showed the same contempt for it as Fidel Castro did.

The philosopher Santayana said that those who forget the past are condemned to repeat it. It is even worse. Those who don't know the past are bound to go blind into the future.

I am no soothsayer but I can safely say that a future Cuba will have no place for Fidel Castro, except as a last resting place. For Castro or for his brother Raul, second-in-command, or for his sister-in-law Vilma Espin de Castro, Raul's wife, third in the hierarchy, or for Ramon Castro, the oldest Castro and boss of Cuban agriculture, or for young Fidelito, Fidel's son, who heads the so-called atomic energy programme.

I am convinced that the whole damned tribe and their diatribes will find no room in Cuba the day after tomorrow. I don't know whether the end will be swift and bloody, like the Ceausescus', or protracted, in a dark bunker like Hitler's. What I'm sure of is that Fidel Castro, unlike Stalin or Mao, won't die in bed. Unless it is that bed of Procrustes called history, where if you don't fit you lose your head.

G. Cabrera Infante's latest novel, Three Trapped Tigers, *is published by Faber.*

London Sun Telegraph, march 4, 1990.

Brasil

POLÍTICA Brasília, quarta-feira, 14 de março de 1990 3

Dos Congressistas Brasileiros ao Sr. Fidel Castro.

Desejosos de uma América Latina cada vez mais integrada e democrática, os congressistas brasileiros abaixo assinados, cientes de que todos os povos do Continente, à exceção do irmão povo cubano, tiveram a oportunidade de se expressar pelo voto livre e direito, fazem conclamação ao Sr. Fidel Castro para que:

Convoque, com toda a brevidade, eleições livres e diretas em Cuba, para todos os níveis, inclusive para a Presidência da República. Proceda às eleições da indispensável anistia ampla, geral e irrestrita para todos que sofrem constrangimento da liberdade por questões políticas. Aceite, desde já, observadores, jornalistas e ativistas de direitos humanos para que se façam presentes em Cuba até a realização das eleições.

Brasília, março de 1990.

CORREIO BRAZILIENSE

MAIORIA DO CONGRESSO BRASILEIRO PEDE ELEIÇÕES A FIDEL CASTRO

Página 03

Carta de los congresistas del Brasil piediéndole a Fidel Castro que convoque a elecciones libres. La Carta con las firmas de los diputados y senadores apreció en los diarios O Globo el 15 de marzo de 1990 y en el Correio Braziliense el 14 de marzo del mismo año.

Dos Congressistas Brasileiros ao Sr. Fidel Castro

Desejosos de uma América Latina cada vez mais integrada e democrática, os congressistas brasileiros abaixo assinados, cientes de que todos os povos do Continente, à exceção do irmão povo cubano, tiveram a oportunidade de se expressar pelo voto livre e direto, fazem conclamação ao Sr. Fidel Castro para que:

Convoque, com toda a brevidade, eleições livres e diretas em Cuba, para todos os níveis, inclusive para a Presidência da República. Preceda as eleições da indispensável anistia ampla, geral e irrestrita para todos que sofrem constragimento da liberdade por questões políticas. Aceite, desde já, observadores, jornalistas e ativistas de direitos humanos para que se façam presentes em Cuba até a realização das eleições.

Brasília, março de 1990.

Senadores: Irapuan Costa Junior -PMDB/GO, Meira Filho - PMDB/DF, Marcondes Gadelha - PFL/PB, João Menezes - PFL/PA, Carlos Patrocínio - PDC/TO, Cid Carvalho - PMDB/CE, Ronaldo Aragão - PMDB/RO, Edson Lobão - PFL/MA, Leopoldo Peres - PMDB/AM, José Ignácio - PSDB/ES, João Lyra - PMDB/AL, Ney Maranhão - PMB/PE, José Agripino - PFL/RN, Antônio Luiz Maya - PDC/TO, Lourival Baptista - PFL/SE, Alexandre Costa - PFL/MA, Divaldo Suruagy - PFL/AL, Mauro Borges - PDC/GO, Afonso Sancho / CE, João Lobo - PFL/PI, Affonso Camargo - PTB/PR, Alfredo Campos - PMDB/MG, R. Saldanha Derzi - PMDB/MS, Mauro Benevides - PMDB/CE, Fernando Henrique Cardoso - PSDB/SP, Pompeu de Souza - PSDB/DF, Lavoisier Maia - PDT/RN, Dirceu Carneiro - PSDB/SC, Carlos Alberto - PTB/RN, Nabor Junior - PMDB/AC, Jutahy Magalhães - PMDB/BA, Francisco Rollemberg - PMDB/SE, Olavo Pires - PTB/RO, Márcio Lacerda - PMDB/MT, João Calmon - PMDB/ES, Moisés Abrão - PDC/TO, Mário Covas - PSDB/SP, Raimundo Lira - PMDB/PB, Carlos De'Carli - PTB/AM, Louremberg Rocha - PTB/MT, Roberto Campos - PDS/MT, José Richa - PSDB/PR, Gerson Camata - PMDB/ES, Jarbas Passarinho - PDS/PA, Iram Saraiva - PDT/GO, Maurício Correia - PDT/DF, Ruy Bacelar - PMDB/BA, Mendes Canale - PMDB/MS, Afonso Arinos - PSDB/RJ, Marco Maciel - PFL/PE, Albano Franco / SE, Luiz Viana - PMDB/BA, Mário Maia - PDT/AC, Odacir Soares - PFL/RO, Teotônio Vilela Filho - PSDB/AL.

Deputados: Alércio Dias - PFL/AC, Francisco Diógenes - PDS/AC, José Melo - PMDB/AC, Maria Lúcia - PMDB/AC, Narciso Mendes - PFL/AC, Ézio Ferreira - PFL/AM, José Dutra - PMDB/AM, Chagas Neto - PL/RO, José Guedes - PSDB/RO, Aloysio Chaves - PFL/PA, Arnaldo Moraes - PMDB/PA, Benedicto Monteiro - PTB/PA, Carlos Vinagre - PMDB/PA, Eliel Rodrigues - PMDB/PA, Fausto Fernandes - PMDB/PA, Gerson Peres - PDS/PA, Edmundo Galdino - PSDB/TO, Eduardo Siqueira Campos - PDC/TO, Freire Junior - PRN/TO, Leomar Quintanilha - PDC/TO, Paulo Sidnei - PMDB/TO, Albérico Filho - PDC/MA, Costa Ferreira - PFL/MA, Eurico Ribeiro - PRN/MA, Francisco Coelho - PDC/MA, Vieira da Silva - PDS/MA, Wagner Lago - PMDB/MA, Átila Lira - PFL/PI, José Luiz Maia - PDS/PI, Paes Landim - PFL/PI, Aécio de Borba - PDS/CE, Bezerra de Melo - PMDB/CE, Etevaldo Nogueira - PFL/CE, Furtado Leite - PFL/CE, Haroldo Sanford - PMDB/CE, Luiz Marques - PFL/CE, Mauro Sampaio - PMDB/CE, Orlando Bezerra - PFL/CE, Osmundo Rebouças - PMDB/CE, Antônio Camara - PMDB/RN, Flávio Rocha - PRN/RN, Iberê Ferreira - PFL/RN, Ismael Wanderley - PTR/RN, Marcos Formiga - PL/RN, Ney Lopes - PFL/RN, Vingt Rosado - PMDB/RN, Adauto Pereira - PDS/PB, Aluízio Campos - PMDB/PB, Edme Tavares - PFL/PB, Francisco Rolim - PSC/PB, José Maranhão - PMDB/PB, Artur Lima Cavalcanti - PDT/PE, Egídio Ferreira Lima - PSDB/PE, Fernando Bezerra Coelho - PMDB/PE, Gilson Machado - PFL/PE, Gonzaga Patriota - PDT/PE, Harlan Gadelha - PMDB/PE, Horácio Ferraz - PFL/PE, Inocêncio Oliveira - PFL/PE, José Jorge - PFL/PE, José Moura - PFL/PE, Marcos Queiroz - PMDB/PE, Nilson Gibson - PMDB/PE, Salatiel Carvalho - PFL/PE, Wilson Campos - PMDB/PE, Renan Calheiros - PRN/AL, Vinicius Cansanção - PFL/AL, Cleonâncio Fonseca - PFL/SE, Djenal Gonçalves - PMDB/SE, João Machado Rollemberg - PFL/SE, Ângelo Magalhães - PFL/BA, Eraldo Tinoco - PFL/BA, Genebaldo Correia - PMDB/BA, Jairo Azi - PDC/BA, Jairo Carneiro - PFL/BA, João Carlos Bacelar - PMDB/BA, Jonival Lucas - PDC/BA, Jorge Vianna - PMDB/BA, José Lourenço - PDS/BA, Marcelo Cordeiro - PMDB/BA, Mário Lima - PMDB/BA, Miraldo Gomes - PDC/BA, Murilo Leite - PMDB/BA, Nestor Duarte - PMDB/BA, Prisco Viana - PMDB/BA, Sérgio Brito - PDC/BA, Waldeck Ornelas - PFL/BA, Nyder Barbosa - PMDB/ES, Rita Camata - PMDB/ES, Rose de Freitas - PSDB/ES, Daso Coimbra - PRN/RJ, Fábio Raunheitti - PTB/RJ, Jorge Gama - PMDB/RJ, José Carlos Coutinho - PL/RJ, José Luiz de Sá - PL/RJ, Nelson Sabrá - PRN/RJ, Osmar Leitão - PFL/RJ, Roberto Jefferson - PTB/RJ, Sandra Cavalcanti - PFL/RJ, Simão Sessim - PFL/RJ, Aloísio Vasconcelos - PMDB/MG, Álvaro Antônio - PMDB/MG, Bonifácio de Andrada - PDS/MG, Carlos Cotta - PSDB/MG, Chico Humberto - PDT/MG, Elias Murad - PSDB/MG, Hélio Costa - PRN/MG, Humberto Souto - PFL/MG, Israel Pinheiro - PMDB/MG, José Mendonça de Morais - PMDB/MG, Lael Varella - PFL/MG, Luiz Leal - PMDB/MG, Maurício Campos - PL/MG, Mauro Campos - PSDB/MG, Paulo Almada - PMDB/MG, Raimundo Rezende - PMDB/MG, Rosa Prata - PMDB/MG, Adhemar de Barros Filho - PRP/SP, Agripino de Oliveira Lima - PFL/SP, Arnaldo Faria de Sá - PRN/SP, Francisco Amaral - PMDB/SP, Gastone Righi - PTB/SP, Gerson Marcondes - PMDB/SP, Jayme Paliarin - PTB/SP, José Egreja - PTB/SP, Leonel Julio - PPB/SP, Mendes Botelho - PTB/SP, Robson Marinho - PSDB/SP, Samir Achôa - PMDB/SP, Antônio de Jesus - PMDB/GO, Délio Braz - PMDB/GO, Fernando Cunha - PMDB/GO, Lúcia Vânia - PMDB/GO, Luiz Soyer - PMDB/GO, Maguito Vilela - PMDB/GO, Mauro Miranda - PMDB/GO, Naphtali Alves de Souza - PMDB/GO, Roberto Balestra - PDC/GO, Francisco Carneiro - PMDB/DF, Jofran Frejat - PFL/DF, Maria de Lourdes Abadia - PSDB/DF, Valmir Campelo - PTB/DF, Jonas Pinheiro - PFL/MT, Ivo Cersósimo - PMDB/MS, Plínio Martins - PSDB/MS, Rosário Congro Neto - PMDB/MS, Saulo Queiroz - PSDB/MS, Alarico Abib - PMDB/PR, Alceni Guerra - PFL/PR, Basílio Villani PRN/PR, Borges da Silveira - PDC/PR, Darcy Deitos - PSDB/PR, Dionísio Dal Prá - PFL/PR, Euclides Scalco - PSDB/PR, Osvaldo Macedo - PMDB/PR, Paulo Pimentel - PFL/PR, Renato Bernardi - PMDB/PR, Artenir Werner - PDS/SC, Francisco Küster - PSDB/SC, Henrique Córdova - PDS/SC, Paulo Macarini - PMDB/SC, Ruberval Pilotto - PDS/SC, Victor Fontana - PFL/SC, Adroaldo Streck - PSDB/RS, Adylson Motta - PDS/RS, Alcides Saldanha - PMDB/RS, Antônio Brito - PMDB/RS, Ivo Lech - PMDB/RS, Ivo Mainardi - PMDB/RS, Osvaldo Bender - PDS/RS, Paulo Mincarone - PTB/RS, Rospide Netto - PMDB/RS, Eraldo Trindade - PL/AP, Alcides Lima - PFL/RR, Chagas Duarte - PDT/RR, Ottomar Pinto - PDC/RR, Carrel Benevides - PTB/AM, Amilcar Moreira - PMDB/PA, Dionísio Hage - PRN/PA, Domingos Juvenil - PMDB/PA, Mário Martins - PMDB/PA, Paulo Roberto - PL/PA, Paulo Mourão - PDC/TO, Eliézer Moreira - PFL/MA, Joaquim Haickel - PDC/MA, Felipe Mendes - PDS/PI, Jesualdo Cavalcanti - PFL/PI, Gidel Dantas - PDC/CE, José Lins - PFL/CE, Ubiratan Aguiar - PMDB/CE, Agassiz Almeida - PMDB/PB, Evaldo Gonçalves - PFL/PB, Paulo Marques - PFL/PE, Leopoldo Souza - PMDB/SE, Celso Dourado - PSDB/BA, Francisco Benjamim - PFL/BA, Jutahy Júnior - PSDB/BA, Milton Barbosa - PFL/BA, Nelson Aguiar - PDT/ES, Pedro Ceolin - PFL/ES, Stélio Dias - PFL/ES, Ernani Boldrin - PMDB/RJ, Roberto Augusto - PL/RJ, Genésio Bernardino - PMDB/MG, Leopoldo Bessone - PMDB/MG, Mário de Oliveira - PRN/MG, Sérgio Naya - PMDB/MG, Aristides Cunha - PSC/SP, Caio Pompeu de Toledo - PSDB/SP, Dirce Tutu Quadros - PSDB/SP, José Carlos Grecco - PSDB/SP, Koyu Yha - PSDB/SP, Manoel Moreira - PMDB/SP, Jalles Fontoura - PFL/GO, Ubiratan Spinelli - PLP/MT, José Elias - PTB/MS, Ervin Bonkoski - PTB/PR, Hélio Dutra - PMDB/PR, Matheus Iensen - PMDB/PR, Sérgio Spada - PMDB/PR, Alexandre Puzyna - PMDB/SC, Cláudio Avila - PFL/SC, Érico Pegoraro - PFL/RS, Jorge Uequed - PSDB/RS, Nelson Jobim - PMDB/RS, Telmo Kirst - PDS/RS, Assis Canuto - PL/RO, [illegible] - PMDB/PA, Ary Valadão - PDS/TO, Edivaldo Holanda - PCN/MA, Jesus Tajra - PFL/PI, Henrique Eduardo Alves - PMDB/RN, Adauto Pereira - [illegible], José Mendonça Bezerra - PFL/PE, Messias Góis - PFL/SE, Leur Lomanto - PFL/BA, Luiz Eduardo - PFL/BA, Manoel Castro - PFL/BA, Hélio Manhães - PMDB/ES, Jones Santos Neves - PL/ES, Jorge Leite - PMDB/RJ, Márcio Braga - PDT/RJ, João Paulo - PT/MG, Oscar Corrêa - PFL/MG, Saulo Coelho - PFL/MG, Afif Domingos - PL/SP, Delfim Netto - PDS/SP, Fausto Rocha - PRN/SP, João Rezek - PMDB/SP, José Camargo - PFL/SP, Ralph Biasi - PMDB/SP, Ricardo Izar - PL/SP - Airton Cordeiro - PFL/PR, Ivo Vanderlinde - PMDB/SC, Lélio Souza - PMDB/RS, Geraldo Fleming - PMDB/AC, Arnaldo Martins - PSDB/RO, Moisés Avelino - PMDB/TO, Victor Trovão - PFL/MA, João da Mata - PSDB/PB, Antônio Ferreira - PFL/AL, Acival Gomes - PSDB/SE, Benito Gama - PFL/BA, Jairo Azi - PDC/BA, Rubem Medina - PRN/RJ, Ibrahim Abi-Ackel - PDS/MG, Mello Reis - PDS/MG, Milton Reis/MG, Roberto Vital - PRN/MG, Geraldo Alckmin Filho - PSDB/SP, Maluly Neto - PFL/SP, Nelson Seixas - PDT/SP, Renato Johnsson - PRN/PR, Antônio Carlos Konder Reis - PDS/SC, Eduardo Moreira - PMDB/SC, Renato Vianna - PMDB/SC, Hilário Braun - PMDB/RS, Victor Fraccioni - PDS/RS.

Castro acabará como Ceaucescu

MILAN, (Italia), (EFE) — El escritor mexicano Octavio Paz afirma en un artículo publicado en portada por el diario italiano "Corriere della Sera" que las elecciones en Nicaragua han hecho "absolutamente claras" las opciones de Fidel Castro: o sigue el camino de Daniel Ortega o acaba como Ceaucescu.

"Cada día que pasa, parece que Castro esté menos dispuesto a seguir el camino de los sandinistas", señala el autor de "El laberinto de la soledad", hoy director de la revista "Vuelta" en Ciudad de México.

Paz señala en el artículo, titulado "Centroamérica y gringos", que las elecciones en Nicaragua han dado "un golpe mortal" a la revolución marxista-leninista como alternativa política para el hemisferio occidental.

"Tales elecciones marcan la conclusión de una era tumultuosa que comenzó en 1959 con la revolución cubana y concluirá presumiblemente con la caída de Fidel Castro", afirma Paz en el artículo publicado en el diario de mayor tirada de Italia (su edición fue de 877.675 ejemplares).

El intelectual mexicano subraya que "la derrota de los sandinistas puede ser interpretada como la disolución de los sentimientos "anti-

Pensamiento político de Octavio Paz

- **O Castro sigue el camino de Ortega o acabará como Ceaucescu**
- **En Nicaragua se ha dado un golpe mortal al marxismo-leninismo**
- **Disolución de lo "anti-gringo" que ha envenenado a América Latina**
- **Tareas de Violeta Chamorro: la economía y la reconciliación**

gringo" que "han envenenado a América Latina" mucho mas allá de su realidad histórica".

El abandono de estos sentimientos "antigringo", dice, será un factor decisivo para afrontar los problemas de la paz en Centroamérica.

Paz opina que Violeta Chamorro tiene ante sí dos tareas urgentes: la reconciliación y la reconstrucción económica.

La primera tarea, añade Paz, puede resolverse solamente por el mismo pueblo nicaragüense, mientras la segunda puede resolverse con éxito solamente con una amplia integración con el resto de América Central, el Caribe y México, pero también con Estados Unidos, "hasta ahora sistemáticamente vilipendiados".

Octavio Paz cree que los sandinistas tienen todavía "un futuro importante", "si no se producen importantes escisiones, muy posibles en los próximos meses por parte de facciones radicales que rechazan el desarmarse".

DIARIO LAS AMERICAS MARZO 15 1990

Nueva York.

EL DIARIO-LA PRENSA, MIERCOLES 21 DE MARZO/13

Checoslovaquia denunciará violaciones a DH

PRAGA - El ministerio de Asuntos Exteriores de Checoslovaquia advirtió ayer a Cuba que denunciará todas las situaciones en las que se violen los derechos humanos y planteó la necesidad de un cambio sustancial en las relaciones entre los dos países.

La colaboración mutua, dice la declaración del ministerio de Relaciones Exteriores checoslovaco, debe reflejar los cambios y el desarrollo de la democracia en los paises del Este y Centro Europa y en muchos Estados de América Central.

Los cambios democráticos en Checoslovaquia reclaman que las relaciones entre los dos países se desarrollen sobre una nueva base, eliminando su actual caracter ideológico y se amplien a toda la población y reflejen las diversas opiniones políticas, estima el ministerio.

Cuba

Castro califica de arrogantes a quienes le piden elecciones

RIO DE JANEIRO - El Presidente cubano, Fidel Castro, calificó de "arrogantes y prepotentes" a los cerca de 300 parlamentarios brasileños que, en un documento, le demandaron la convocatoria de elecciones libres en su país.

En una rueda de prensa concedida en Rio de Janeiro, Castro sugirió que los congresistas brasileños deberían preocuparse más de los graves problemas sociales que tiene el país: "Niños sin escuela, niños sin médico, mortalidad infantil, etc., etc., etc. ".

Aunque reconoció que, como extranjero, no le corresponde comentar los problemas internos del país, Castro expresó que se BBsiente en el derecho de responder a los parlamentarios que firmaron la moción que considera "un poco prepotente, un poco arrogante".

Llegan armas de Angola

LA HABANA - El buque soviético Escultor Konienkov, cargado con armas y medios de combate de las Fuerzas Armadas cubanas en Angola, arribó al puerto de El Mariel, a unos kilómetros de la Habana, informó una fuente oficial.

El general de división Ramón Pardo Guerra, jefe del ejército occidental de la isla, recibió e inspecccionó la técnica militar destinada a reforzar el poderío y disposición combativa de las Fuerzas Armada revolucionarias, señala una nota distribuida por la Agencia de Información Nacional (AIN).

Los equipos y medios bélicos arribaron en perfectas condiciones técnicas, listos para ser utilizados en cualquier momento, y para cuyo traslado hacia las unidades correspondientes de las Fuerzas Armadas se ubicaron en el puerto de El Mariel los medios necesarios, añadió la fuente.

La misma agencia informativa señaló que el pasado fin de semana llegó al puerto oriental de Santiago de Cuba un cargamento de armas y equipo militar, junto a un grupo de once soldados.

Ademas del personal militar, Cuba está retirando de Angola material de combate que incluye helicópteros, cañones, aviones y equipos de ingeniería.

Pardo Guerra se refirió a la emboscada efectuada el pasado sábado por las guerrillas de la Unión Nacional para la Independencia Total de Angola (UNITA).

Piden a Castro que convoque a elecciones

Lee Vargas Llosa la carta firmada por 700 personalidades donde se le dice a Castro: "Lo que se ha hundido en el mundo entero es el comunismo, y con su terca determinación de ignorar esta desnuda evidencia que le muestra la realidad, está usted poniendo a Cuba al borde de la guerra civil"

LIMA, (AFP). - Unas 700 personalidades liberales del mundo reunidas en Perú suscribieron una declaración conjunta en la que piden a Fidel Castro que convoque a elecciones libres en Cuba y evite así a "guerra civil, el motín popular o una cruenta lucha por el poder".

"Hágalo rápido, pues de lo contrario la historia lo va a condenar para toda la eternidad" dice el documento que leyó el escritor peruano Mario Vargas Llosa en la clausura de la cita La Revolución de la Libertad realizada en Lima.

"Lo invitamos con toda nuestra energía a la inmediata democratización de la sociedad cubana mediante la celebración de comicios verdaderamente libres", añade la nota, que fue ruidosamente aplaudida por intelectuales, economistas y sindicalistas internacionales, incluyendo reformistas del este europeo.

Entre los firmantes se halla el filósofo francés Jean Francois Revel, el escritor mexicano Octavio Paz, el colombiano Plinio Apuleyo Mendoza, el chileno Jorge Edwards y Carlos Alberto Montaner. También los economistas Pedro Schwartz (español), Alan Walters (inglés) y el representante polaco de Solidaridad, Jacek Chwedoruk.

La carta, que será hecha llegar a Cas-

(Pasa a la Pág.13-A Col.3)

DIARIO LAS AMERICAS, MARZO 1990

tro, advierte a éste que ofrezca "al pueblo una alternativa distinta a ese holocausto que usted le propone con sus continuas referencias a hundir la isla en el mar antes que abandonar el comunismo".

"Lo que se ha hundido en el mundo entero, comandante, es el comunismo, y con su terca determinación de ignorar esta desnuda evidencia que le muestra la realidad, está usted poniendo a Cuba al borde de la guerra civil, del motín popular o de una cruenta lucha por el poder", indica la carta.

Los firmantes sugieren a Castro evitar "civilizadamente esa tragedia", con elecciones libres "como única salida digna y pacífica a la situación en la que Cuba se encuentra, y hágalo rápido pues de lo contrario la historia lo va a condenar para toda la eternidad".

La cita fue marcada por duras críticas a la ideología comunista allí donde los gobiernos aún la enarbolan para retener el poder, y en analizar las reformas políticas en Europa del Este.

DIARIO LAS AMERICAS VIERNES 6 DE ABRIL DE 1990

Piden famosos artistas mexicanos que Castro llame a un plebiscito

Dicen en su carta que "un plebiscito sobre su permanencia en el poder, después de 31 años, es un reclamo justo que hacen los artistas, los intelectuales, científicos y sindicalistas del mundo, entre ellos ocho premios Nóbel". "Entendemos que el plebiscito es un derecho democrático, una condición inherente a la soberanía".

MIAMI, (UPI) — Un grupo de artistas mexicanos —entre ellos Mario Moreno, "Cantinflas", Ernesto Alonso, Silvia Pinal y Ricardo Montalbán— envió una carta abierta que será publicada este jueves por los principales diarios de Estados Unidos y América Latina pidiendo a Fidel Castro que llame a un plebiscito en su país.

"Los abajo firmantes", dicen en su carta a Castro, "trabajadores y artistas mexicanos, queremos por este medio hacer nuestra la carta abierta que se le envió a usted el 1 de enero de 1990 y que apareció publicada en más de quince diarios europeos, norteamericanos y latinoamericanos".

"Nosotros sentimos que la respetuosa petición que se le hace a usted para que celebre en Cuba un plebiscito sobre su permanencia en el poder, después de 31 años, es un reclamo justo que hacen los artistas, los intelectuales, científicos y sindica-

(Pasa a la Pág.15-A Col.5)

listas del mundo, entre ellos ocho premios Nóbel".

Además de los artistas mencionados, la carta la firman, entre otros, las actrices Jacqueline Andere, Rosa Gloria Chagoyán, Christian Bach y Sonia Infante; el actor Humberto Zurita, la compositora Lolita de la Colina y el comentarista de la Cadena Eco, Juan Calderón.

"Nos unimos a la Carta Abierta de forma entusiasta y moderada, sin tomar ningún bando ideológico", añade la misiva de los artistas mexicanos, una copia de la cual llegó a las oficinas de UPI en Miami, "por entender que un plebiscito en Cuba es, además de un derecho democrático de su población, una condición inherente a su soberanía".

"Con el cariño de la hermandad latinoamericana y mexicana que sentimos por todo nuestro continente, reafirmamos que las soluciones a los problemas de América Latina no radican en aceptar el hambre generalizada que afecta a muchos de nuestros países ni en soluciones totalitarias a nuestros problemas", apuntan.

Concluyen señalando que "en un mundo de muros que se derrumban, nos pronunciamos en favor de la libertad, la justicia y la libre determinación de los pueblos y decimos: "¡Viva Cuba!, ¡Viva México!".

Castro: ni elecciones ni plebiscito

Dijo Castro en Brasil que si llegase a realizar unas elecciones "habría que inventar una oposición y en ella tendrían que participar los cubanos exiliados de Miami". También dijo que en Cuba creerían que él está loco si regresa con una convocatoria a elecciones...

SAO PAULO (Brasil), (EFE). — Fidel Castro reafirmó que Cuba no convocará elecciones directas o plebiscito sobre su forma de Gobierno "para complacer a Estados Unidos", durante una rueda de prensa celebrada en el Palacio de Convenciones de la capital paulista.

El líder cubano indicó que las presiones estadounidenses en favor de la celebración de elecciones en Cuba es una táctica para que se descuide tanto la defensa como la organización del país.

Destacó que si llegase a realizar unas elecciones "habría que inventar una oposición y en ella tendrían que participar los cubanos exiliados en Miami".

"Si vuelvo convocando elecciones en mi país, considerarían que me he vuelto loco", señaló Castro, y explicó que en Cuba existe participación directa del pueblo en la elección de sus dirigentes. Admitió que los presidentes de Venezuela, Carlos Andrés Pérez, y de España, Felipe González, le mostraron su preocupación por la falta de libertad política en Cuba, pero destacó que "eran opiniones francas de amigos del pueblo cubano".

Sobre el proceso político en Nicaragua aseguró que "los sandinistas deben mantener las armas" para defender sus vidas de los "contras" y salvaguardar la Constitución del país.

El líder cubano precisó que los dirigentes nicaragüenses no tuvieron tiempo para hacer la revolución, porque "se cometieron errores subjetivos" y el país ha sufrido una guerra con Estados Unidos desde 1981.

El dirigente afirmó que la relación de Cuba con la Unión Soviética es muy buena y añadió que si este país dejara de ser socialista "nosotros continuaremos manteniendo nuestra revolucion".

"Medito cada día sobre el capitalismo y cada vez me repugna más", sentenció Castro.

El mandatario cubano se entrevistó en Sao Paulo con el líder del Partido de los Trabajadores (PT), Luiz Inacio Lula da Silva, candidato de izquierdas derrotado en las pasadas elecciones brasileñas, y con otros políticos de la izquierda local.

También mantuvo un encuentro con la alcaldesa de la capital paulista, Luiza Erundina, del PT, y cerró su visita a Sao Paulo con una conversación con intelectuales y artistas de ese estado brasileño.

Fidel Castro continuó su visita a Brasil en Rio de Janeiro, donde se reunió con políticos locales, representantes del medio académico y empresarios cariocas.

DIARIO LAS AMERICAS
MARZO 21 1990

Llama España a Embajador de Cuba

Expresa su descontento el Gobierno español por una crítica que hizo Castro en Brasil: "¿Quién eligió a Juan Carlos Rey de España?", dijo Castro, y añadió algo más sobre lo que pasaría si les dan armas a los vascos, los gallegos y los catalanes

MADRID, (UPI) — El gobierno de España citó al embajador de Cuba en la Oficina de Relaciones Exteriores para expresar su descontento por la crítica hecha contra su gobierno por Fidel Castro.

Castro, en brindis durante una visita a Río de Janeiro esta semana, preguntó: "¿Quién eligió a Juan Carlos Rey de España?

Castro tambien dijo que los cubanos eran lo "suficientemente libres" como para portar armas y se preguntó qué hubiese pasado en España si a los vascos, gallegos y catalanes se les permitiera portar armas.

Castro hizo estos comentarios después de que el jefe del gobierno español, Felipe González, y el presidente venezolano, Carlos Andrés Pérez, pidieran la semana pasada a Castro que siguiera el ejemplo de Europa Oriental y a introducir reformas democráticas en el gobierno cubano.

Castro rechazó la sugerencia y criticó el sistema

(Pasa a la Pág.9-A Col.4)

Llama España a Embajador de Cuba

(Viene de la Pág.1-A)

de gobierno de España después de que González regresara a España.

El ministro de Relaciones Exteriores español, Francisco Fernández Ordóñez, dijo que España continuará con su actual política de cooperación con el gobierno de Castro.

MAS DETALLES

MADRID, (AFP) - El embajador de Cuba en España, Luis Méndez Morejón, fue convocado por el canciller español después de que Fidel Castro hiciera días pasados declaraciones en Brasilia que causaron hondo malestar en España.

Un portavoz del ministerio español de Relaciones Exteriores confirmó esta mañana a la AFP que el diplomático cubano fue convocado por el titular de la cartera, Francisco Fernández Ordóñez, pero que se ignoraba cuándo tendría lugar esta entrevista, aunque en ciertos medios apuntaban que podría ser hoy mismo.

Al parecer, todo se originó a raíz de una entrevista entre el presidente del gobierno español, Felipe González, y Fidel Castro, en Brasilia. El primero dijo aparentemente al segundo que "Cuba debe incorporarse a la gran corriente de reformas, de apertura y de desarrollo", refiriéndose al derrumbe del comunismo en Europa.

El pasado día 20, también en Brasilia, Fidel Castro se refirió a las elecciones de jefes de Estado, preguntando quién eligió al Rey de España, agregando: "¿Quién elige a los jefes de los gobiernos en Inglaterra, en Alemania, en España?. No lo eligen por el sistema de voto directo. Los eligen los parlamentarios... ¿Y a Felipe González ? ¿cuántas veces lo pueden reelegir?. Imagínense que Felipe viva... tenga una salud como la de Matusalén y sea tan longevo como Matusalén y nunca meta la pata de una manera seria... Lo pueden reelegir 80 veces. .."

Y tras decir que en Cuba el pueblo tiene voto y armas, Castro agregó: "Que les entreguen las armas a los obreros españoles, que se las entreguen a los estudiantes, que se las entreguen a los campesinos. ¡Qué se las entreguen a los vascos! y que se las entreguen a los gallegos y a todo el que quiere una autonomía...".

Estas manifestaciones fueron ampliamente difundidas por la prensa española pero el ministro español de Relaciones Exteriores se hallaba en ese momento de viaje.

DIARIO LAS AMERICAS, MARZO 24, 1990

ONLY TWO WAYS TO GO

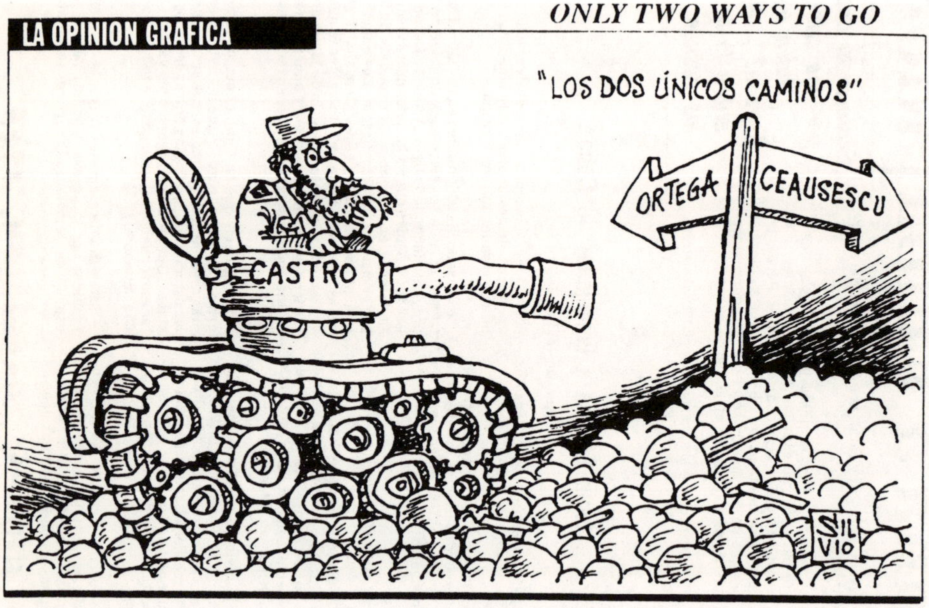

CARTA ABIERTA A FIDEL CASTRO

(Diario La Prensa, Nicaragua)

Managua, Nicaragua
25 de abril de 1990

Comandante Fidel Castro
Presidente del Consejo de Estado
Presidente del Comité Ejecutivo del Consejo de Ministros
Primer Secretario General del Partido Comunista de Cuba
La Habana, Cuba.

Señor Presidente:

Hoy celebramos con entusiasmo el comienzo de otra democracia. Es un día de júbilo para los nicaragüenses y una esperanza para todos los cubanos.

En diciembre de 1988 y en enero de 1990, en dos **cartas abiertas** publicadas en los periódicos más importantes del mundo, se le pidió a usted la celebración de un plebiscito para que el pueblo cubano pueda expresar libremente si desea o no que usted permanezca en el poder. Intelectuales y sindicalistas, mujeres y hombres de ciencia, más de quinientos diputados desde Polonia hasta Venezuela y Brasil y cinco ex presidentes de Costa Rica forman parte de la larga lista de apoyo al plebiscito, en la que figuran ocho Premios Nóbel y firmantes tan diversos como Lech Walesa, Camilo José Cela, Susan Sontag, Federico Fellini, Emilio Máspero, Silvia Pinal, Jack Nicholson, Claude Simon, Isabella Rossellini y Octavio Paz.

El plebiscito podría ser una salida al permanente estado de desequilibrio, tensiones y caos en que se ha mantenido Cuba desde que sus opciones democráticas fueron canceladas.

Los derechos que ahora tienen los nicaragüenses a **viajar libremente, a asociarse libremente, a expresarse libremente,** no son nociones abstractas, sino libertades esenciales de cualquier país civilizado.

La reconciliación nacional que están llevando a cabo los nicaragüenses sería justamente lo que podrían iniciar los cubanos si usted aceptase que la razón ha de primar sobre la violencia y que la conciliación debe estar por encima de la intolerancia.

Le invitamos a que siga el ejemplo de Nicaragua donde a pesar de los contratiempos y las contradicciones, oposición y gobierno han encontrado un terreno común para resolver de una forma civilizada sus problemas.

Abra sus cárceles.

Termine el sufrimiento de hombres como su compañero del Moncada y expedicionario del Granma, Mario Chanes, cuyos 29 años de reclusión lo hacen el preso político más antiguo del mundo.

Detenga la represión y el uso de turbas que se están desatando en Cuba contra los activistas de derechos humanos.

Convoque a un plebiscito.

Permita que el pueblo cubano se exprese y decida.

¡Derrumbe su muro!

COMITE POR EL PLEBISCITO EN CUBA (carta de Managua).

•Reinaldo Arenas. •Jorge Camacho. •Carlos Franqui. •Martha Frayde. •Emilio Guede. •Orlando Jiménez-Leal. •Marcelino Miyares. •Carlos Alberto Montaner. •José S. Prince. •Jorge Ulla.

ÍNDICE

Págs.

Comentario, Reinaldo Arenas y Jorge Camacho 7

Carta Abierta a Fidel Castro 11

Documentos 22

Este libro se terminó de imprimir
el día 10 de octubre de 1990.

Victoria Abril - Pierre Alechinsky - Néstor Almendros - José Luis Aranguren - Fernando Arrabal - Héctor Babenco - Saul Bellow - Robert Benton - Joseph Brodsky - Maurice Blanchot - Vladimir Bukovski - Leslie Caron - Violeta Chamorro - Camilo José Cela - Fernando Claudín - José Luis Cuevas - Jean Daniel - Jean Dausset - Gerard Depardieu - Jacques Derrida - Milovan Djilas - Xavier Domingo - José Donoso - Jorge Edwards - Federico Fellini - José Ferrater Mora - Jaime Gil de Biedma - Pere Gimferrer - Allen Ginsberg - André Glucksmann - Juan Goytisolo - Félix Grande - Sofía Imber - Eugene Ionesco - Jean Lacouture - Jacek Kuron - Leszek Kolakowsky - Bernard Henri Lévy - Juan Liscano - Louis Malle - Juan Marsé - Czeslaw Milozs - Yves Montand - Jack Nicholson - Octavio Paz - Paloma Picasso - Manuel Puig - Jean François Revel - Valerio Riva - Alain Robbe-Grillet - Isabella Rossellini - Luis Rosales - Xavier Rubert de Ventós - Claude Roy - Fernando Savater - Ernesto Sabato - Barbet Schroeder - Claude Simon - Phillipe Sollers - Susan Sontag - William Styron - René Tavernier - Bertrand Tavernier - Hugh Thomas - Olivier Todd - René Thom - José Angel Valente - José Miguel Ullán - Mario Vargas Llosa - Jeannine Verdés-Leroux - Elie Wiesel.

editorial **BETANIA**
Apartado de Correos 50.767
28080 Madrid, ESPAÑA.
Teléf. 314 55 55

CATALOGO

- **COLECCION BETANIA DE POESIA. Dirigida por Felipe Lázaro:**

— *Para el amor pido la palabra,* de Francisco Alvarez-Koki, 64 pp., 1987. ISBN: 84-86662-00-1. PVP: 300 ptas. ($ 6.00).
— *Piscis,* de José María Urrea, 72 pp., 1987. ISBN: 84-86662-03-6. PVP: 300 ptas. ($ 6.00).
— *Acuara Ochún de Caracoles Verdes (Poemas de un caimán presente) Canto a mi Habana,* de José Sánchez-Boudy, 48 pp., 1987. ISBN: 84-86662-02-08. PVP: 300 ptas. ($ 6.00).
— *Los muertos están cada día más indóciles,* de Felipe Lázaro. Prólogo de José Mario, 40 pp., 1987. ISBN: 84-86662-05-2. PVP: 300 ptas. ($ 6.00).
— *Oscuridad Divina,* de Carlota Caulfield. Prólogo de Juana Rosa Pita, 72 pp., 1987. ISBN: 84-86662-08-7. PVP: 400 ptas. ($ 6.00).
— *El Cisne Herido y Elegía,* de Luis Ayllón Carrión y Julia Trujillo. Prólogo de Susy Herrero, 208 pp., 1988. ISBN: 84-86662-13-3. PVP: 700 ptas. ($ 9.00).
— *Don Quijote en América,* de Miguel González. Prólogo de Ramón J. Sender, 104 pp., 1988. ISBN: 84-86662-12-5. PVP: 500 ptas. ($ 8.00).
— *Palíndromo de Amor y Dudas,* de Benita C. Barroso. Prólogo de Carlos Contramaestre, 80 pp., 1988. ISBN: 84-86662-16-8. PVP: 500 ptas. ($ 8.00).
— *Transiciones,* de Roberto Picciotto, 64 pp., 1988. ISBN: 84-86662-17-6. PVP: 400 ptas. ($ 6.00).
— *La Casa Amanecida,* de José López Sánchez-Varos, 72 pp., 1988. ISBN: 84-86662-18-4. PVP: 600 ptas. ($ 6.00).
— *Trece Poemas,* de José Mario, 40 pp., 1988. ISBN: 84-86662-20-6. PVP: 1.000 ptas. ($ 10.00).
— *Retorno a Iberia,* de Oscar Gómez-Vidal. Prólogo de Rafael Alfaro, 72 pp., 1988. ISBN: 84-86662-21-4. PVP: 400 ptas. ($ 6.00).
— *Acrobacia del Abandono,* de Rafael Bordao. Prólogo de Angel Cuadra, 40 pp., 1988. ISBN: 84-86662-22-2. PVP: 400 ptas. ($ 6.00).
— *De sombras y de sueños,* de Carmen Duzmán. Prólogo de José-Carlos Beltrán, 112 pp., 1988. ISBN: 84-86662-24-9. PVP: 500 ptas. ($ 8.00).
— *La Balinesa y otros poemas,* de Fuat Andic, 72 pp., 1988. ISBN: 84-86662-25-7. PVP: 400 ptas. ($ 6.00).
— *No hay fronteras ni estoy lejos,* de Roberto Cazorla, 64 pp., 1989. ISBN: 84-86662-26-5. PVP: 400 ptas. ($ 6.00).

— *Leyenda de una noche del Caribe,* de Antonio Giraudier, 56 pp., 1989. ISBN: 84-86662-29-X. PVP: 400 ptas. ($ 6.00).
— *Vigil/Sor Juana Inés/Martí,* de Antonio Giraudier, 56 pp., 1989. ISBN: 84-86662-28-1. PVP: 400 ptas. ($ 6.00).
— *Bajel Ultimo y otras obras,* de Antonio Giraudier, 120 pp., 1989. ISBN: 84-86662-30-3. PVP: 500 ptas. ($ 8.00).
— *Equivocaciones,* de Gustavo Pérez Firmat, 56 pp., 1989. ISBN: 84-86662-32-X. PVP: 400 ptas. ($ 6.00).
— *Altazora acompañando a Vicente,* de Maya Islas, 56 pp., 1989. ISBN: 84-86662-27-3. PVP: 400 ptas. ($ 6.00).
— *Hasta el Presente (Poesía casi completa),* de Alina Galliano, 336 pp., 1989. ISBN: 84-86662-33-8. PVP: 1.500 ptas. ($ 20.00).
— *No fue posible el sol,* de Elías Miguel Muñoz, 64 pp., 1989. ISBN: 84-86662-34-6. PVP: 400 ptas. ($ 6.00).
— *Hermana,* de Magali Alabau. Prólogo de Librada Hernández, 48 pp., 1989. ISBN: 84-86662-35-4. PVP: 400 ptas. ($ 6.00).
— *Blanca Aldaba Preludia,* de Lourdes Gil, 56 pp., 1989. ISBN: 84-86662-37-0. PVP: 400 ptas. ($ 6.00).
— *El amigo y otros poemas,* de Rolando Campins, 64 pp., 1989. ISBN: 84-86662-39-7. PVP: 400 ptas. ($ 6.00).
— *Un caduco calendario,* de Pancho Vives, 32 pp., 1989. ISBN: 84-86662-38-9. PVP: 600 ptas. ($ 6.00).
— *Tropel de Espejos,* de Iraida Iturralde, 56 pp., 1989. ISBN: 84-86662-40-0. PVP: 400 ptas. ($ 6.00).
— *Polvo de Angel,* de Carlota Caulfield *(Polvere d'Angelo,* traduzione di Pietro Civitareale; *Angel Dust,* Translated by Carol Maier), 64 pp., 1989. ISBN: 84-86662-41-9. PVP: 800 ptas. ($ 8.00).
— *Calles de la Tarde,* Antonio Giraudier, 88 pp., 1989. ISBN: 84-86662-42-7. PVP: 500 ptas. ($ 8.00).
— *Sombras imaginarias,* de Arminda Valdés Ginebra, 40 pp., 1989. ISBN: 84-86662-44-3. PVP: 400 ptas. ($ 6.00).
— *Voluntad de vivir manifestándose,* de Reinaldo Arenas, 128 pp., 1989. ISBN: 84-86662-43-5. PVP: 1.000 ptas. ($ 10.00).
— *A la desnuda vida creciente de la nada,* de Jesús Cánovas Martínez. Prólogo de Joaquín Campillo. 112 pp., 1990. ISBN: 84-86662-50-8. PVP: 800 ptas. ($ 8.00).
— *Sabor a tierra amarga,* de Mercedes Limón. Prólogo de Elías Miguel Muñoz. 72 pp., 1990. ISBN: 84-86662-51-6. PVP: 800 ptas. ($ 8.00).
— *Delirio del Desarraigo,* de Juan José Cantón y Cantón, 48 pp., 1990. ISBN: 84-86662-52-4. PVP: 700 ptas. ($ 6.00).
— *Venías,* de Roberto Valero, 128 pp., 1990. ISBN: 84-86662-54-0. PVP: 1.000 ptas. ($ 10.00).
— *Osadía de los soles truncos/Daring of the brief suns,* de Lydia Vélez-Román (traducción: Angela McEwan), 96 pp., 1990. ISBN: 84-86662-56-7. PVP: 800 pts. ($ 8.00).
— *Noser,* de Mario G. Beruvides. Prólogo de Ana Rosa Núñez, 72 pp., 1990. ISBN: 84-86662-58-3. PVP: 800 pts. ($ 8.00).
— *Oráculos de la primavera,* de Rolando Camozzi Barrios. 56 pp., 1990. ISBN: 84-86662-65-1. PVP: 800 pts. ($ 8.00).
— *Poemas de invierno,* de Mario Markus. 64 pp., 1990. ISBN: 84-86662-60-5. PVP: 800 pts. ($ 8.00).
— *Crisantemos/Chrysanthemums,* de Ana Rosa Núñez. Prólogo de

John C. Stout. Traducción: Jay H. Leal, 88 pp., 1990. ISBN: 84-86662-61-3. PVP: 1.000 pts. ($ 10.00).
— *Siempre Jaén,* de Carmen Bermúdez Melero. Prólogo de Fanny Rubio, 96 pp., 1990. ISBN: 84-86662-62-1. PVP: 1.000 ptas. ($ 10.00).
— *Vigilia del Aliento,* de Arminda Valdés Ginebra, 40 pp., 1990. ISBN: 84-86662-66-4. PVP: 600 ptas. ($ 6.00).
— *Leprosorio (Trilogía Poética),* de Reinaldo Arenas, 144 pp., 1990. ISBN: 84-86662-67-2. PVP: 1.500 ptas. ($ 15.00).
— *Hasta agotar el éxtasis,* de María Victoria Reyzábal, 64 pp., 1990. ISBN: 84-86662-69-9. PVP: 800 ptas. ($ 8.00).
— *Inminencia de las cenizas,* de Inés del Castillo, 40 pp., 1990. I.S.B.N.: 84-86662-70-2. PVP: 600 ptas. ($ 6.00).
— *Alas,* de Nery Rivero, 96 pp., 1990. I.S.B.N.: 84-86662-72-9. PVP: 1.000 ptas. ($ 10.00).

- **COLECCION ANTOLOGIAS:**

— *Poetas Cubanos en España,* de Felipe Lázaro. Prólogo de Alfonso López Gradoli, 176 pp., 1988. ISBN: 84-86662-06-0. PVP: 1.000 ptas. ($ 15.00).
— *Poetas Cubanos en Nueva York,* de Felipe Lázaro. Prólogo de José Olivio Jiménez, 264 pp., 1988. ISBN: 84-86662-11-7. PVP: 1.500 ptas. ($ 20.00).
— *Poetas Cubanos en Miami,* de Felipe Lázaro (en preparación).
— *Poesía Chicana,* de José Almeida (en preparación).
— *Cinco Poetas Cubanas en Nueva York / Five Cuban Women Poets in New York,* de Felipe Lázaro. Prólogo de Perla Rozencvaig (en preparación).

- **COLECCION DE ARTE:**

— *José Martí y la pintura española,* de Florencio García Cisneros, 120 pp., 1987. ISBN: 84-86662-01-X. PVP: 800 ptas. ($ 10.00).

- **COLECCION ENSAYO:**

— *Los días cubanos de Hernán Cortés y su lucha por un ideal,* de Angel Aparicio Laurencio, 48 pp., 1987. ISBN: 84-86662-09-5. PVP: 500 ptas. ($ 6.00).
— *Desde esta Orilla: Poesía Cubana del Exilio,* de Elías Miguel Muñoz, 80 pp., 1988. ISBN: 84-86662-15-X. PVP: 800 ptas. ($ 10.00).
— *Alta Marea. Introvisión crítica en ocho voces latinoamericanas: Belli, Fuentes, Lagos, Mistral, Neruda, Orrillo, Rojas, Villaurrutia,* de Alicia Galaz-Vivar Welden, 120 pp., 1988. ISBN: 84-86662-23-0. PVP: 900 ptas. ($ 12.00).
— *Novela Española e Hispanoamericana contemporánea: temas y técnicas narrativas,* de María Antonia Beltrán-Vocal, 504 pp., 1989. ISBN: 84-86662-46-X. PVP: 2.000 ptas. ($ 25.00).

- **COLECCION EDICIONES CENTRO DE ESTUDIOS POETICOS HISPANICOS. Dirigida por Ramiro Lagos:**

— *Oficio de Mudanza,* de Alicia Galaz-Vivar Welden, 64 pp., 1987. ISBN: 84-86662-04-4. PVP: 400 ptas. ($ 6.00).

— *Canciones Olvidadas,* de Luis Cartañá. Prólogo de Pere Gimferrer. 6.ª edición, 48 pp., 1988. ISBN: 84-86662-14-1. PVP: 400 ptas. ($ 6.00).
— *Permanencia del Fuego,* de Luis Cartañá. Prólogo de Rafael Soto Vergés, 48 pp., 1989. ISBN: 84-86662-19-2. PVP: 400 ptas. ($ 6.00).
— *Tetuán en los sueños de un andino,* de Sergio Macías, 72 pp., 1989. ISBN: 84-86662-47-8. PVP: 700 ptas. ($ 8.00).
— *Disposición de Bienes,* de Roberto Picciotto, 112 pp., 1990. ISBN: 84-86662-63-X. PVP: 1.000 ptas. ($ 10.00).

• **COLECCION CIENCIAS SOCIALES. Dirigida por Carlos J. Báez Evertsz:**

— *Educación Universitaria y Oportunidad Económica en Puerto Rico,* de Ramón Cao García y Horacio Matos Díaz, 216 pp., 1988. ISBN: 84-86662-10-9. PVP: 1.000 ptas. ($ 14.75).

• **COLECCION PALABRA VIVA:**

— *Conversación con Gastón Baquero,* de Felipe Lázaro, 40 pp., 1987. ISBN: 84-86662-07-9. PVP: 400 ptas. ($ 6.00).
— *Conversación con Reinaldo Arenas,* de Francisco Soto, 64 pp., 1990. ISBN: 84-86662-57-5. PVP: 1.000 ptas. ($ 10.00).

• **COLECCION NARRATIVA:**

— *Al otro lado de la zarza ardiendo,* de Graciela García Marruz, 232 pp., 1989. ISBN: 84-86662-31-1. PVP: 1.000 ptas. ($ 15.00).
— *Hace tiempo... Mañana,* de Rodrigo Díaz-Pérez, 144 pp., 1989. ISBN: 84-86662-45-1. PVP: 1.000 ptas. ($ 10.00).
— *El arrabal de las delicias,* de Ramón Díaz Solís, 176 pp., 1989. ISBN: 84-86662-49-4. PVP: 1.000 ptas. ($ 12.00).
— *Ruyam,* de Pancho Vives, 112 pp., 1990. ISBN: 84-86662-00-0. PVP: 1.000 ptas. ($ 15.00).
— *Mancuello y la perdiz,* de Carlos Villagra Marsal. Prólogo de Rubén Bareiro Saguier y Epílogo de Juan Manuel Marcos, 168 pp., 1990. ISBN: 84-86662-64-8. PVP: 1.000 ptas. ($ 15.00)
— *Pequeñas Pasiones de Mujer,* de Guillermo Alonso del Real. Prólogo de Leopoldo Castilla, 64 pp., 1990. ISBN: 84-86662-65-6. PVP: 500 ptas. ($ 6.00).
— *Memorias del siglo,* de Jacobo Machover, 120 pp., 1990. ISBN: 84-86662-71-0. PVP: 1.000 ptas. ($ 10.00).

• **COLECCION TEATRO:**

— *La Puta del Millón,* de Renaldo Ferradas, 80 pp., 1989. ISBN: 84-86662-36-2. PVP: 1.000 ptas. ($ 12.50).
— *La Visionaria,* de Renaldo Ferradas, 96 pp., 1989. ISBN: 84-86662-48-6. PVP: 1.000 ptas. ($ 15.00).

• **COLECCION DOCUMENTOS:**

— *Plebiscito a Fidel Castro,* de Reinaldo Arenas y Jorge Camacho, 152 pp., 1990. ISBN: 84-86662-68-0. PVP: 1.000 ptas. ($ 10.00).